La cibernét...

Carlos Chimal

Tercer Milenio

Primera edición en Tercer Milenio: 1999

Primera reimpresión: 2007

Producción:

CONSEJO NACIONAL PARA LA CULTURA
Y LAS ARTES

Dirección General de Publicaciones

© Carlos Agustín Chimal García

D.R. © 2007, de la presente edición

Dirección General de Publicaciones

Avenida Paseo de la Reforma 175

Cuauhtémoc, CP 06500

México, D.F.

Mayor información sobre ésta y otras ediciones de
nuestro catálogo: dgpcnca@correo.conaculta.com.mx

                    ventasinternet@librosyarte.com.mx

ISBN: 970-35-1328-X
            978-970-35-1328-4

Impreso y hecho en México

La cibernética es la ciencia de los mecanismos
de control y de las comunicaciones en los seres vivos y en las máquinas. La primera síntesis de ella la
emprendieron el matemático Norbert Wiener y el
neurofisiólogo Arturo Rosenblueth, entre 1948 y
1954. Sus raíces históricas se remontan a los primeros tiempos, cuando los seres humanos comenzaron a diferenciarse de sus primos homínidos en el
uso de las más variadas e ingeniosas herramientas.
La aparición del lenguaje preludió la cibernética.
Aun así, tuvieron que pasar miles de años para que
los lenguajes simbólicos adquirieran el poder de resolución y generalización de la realidad, siempre
cambiante y compleja. Finalmente, hacia el siglo XVII,
los matemáticos iniciaron la formalización de su disciplina, lo cual implicaba encontrar su procedimiento
mecánico. Es milenario el interés de los seres humanos por las máquinas, y por encontrar el sentido
mecánico en los animales y la Naturaleza. La aparición de los autómatas en las antiguas culturas y su
refinamiento —los robots que conocemos actual-
mente— son un fenómeno crucial en la aparición
de la cibernética, íntimamente ligado al otro campo
que, junto con las matemáticas, constituye el núcleo esencial de la cibernética tradicional: las
neurociencias. El hecho de que algunas de nuestras
funciones corporales se regulen de manera automática, como la temperatura y la producción de hor-
monas, condujo al estudio de la retroalimentación
en los seres vivos. Su modelo, la teoría de sistemas,
explica, al menos en principio, el funcionamiento de
lo viviente. Para comprender la naturaleza de la máquina, antes debía quedar clara su función. Era necesario evitar que el círculo virtuoso animal-humano-máquina se convirtiera en otro de carácter vicio-
so, como se desprendía del mito de Prometeo, quien
da a los humanos la posibilidad de crear otros entes;
de la leyenda del Golem y de la atormentada creación del doctor Frankenstein. Después de la verdadera pesadilla, las dos grandes guerras del siglo XX,
la primera síntesis de la cibernética generó una
hiperciencia que ha derivado en otro de carácter vicio-
ficial (IA), en la robótica y en la computación, se ha
fusionado con la biología y el evolucionismo darwi-
niano, y ha influido en uno de los problemas rele-
vantes de la investigación científica de nuestros
días: el problema cerebro-mente. Además, ha generado una cultura e, incluso, una literatura y un arte
cibernéticos que aún es prematuro juzgar y estarán
ahí los próximos decenios.

ÍNDICE

¿Qué es la cibernética?

La cibernética fue originalmente la ciencia de los mecanismos del control y las comunicaciones, tanto en los seres vivos como en las máquinas. Hoy es una hiperciencia que estudia el cerebro humano e interviene decisivamente en el diseño de los robots que exploran otros mundos.

Detrás de la cibernética está el concepto biológico de retroalimentación.

La cibernética nació formalmente a finales de la década de 1940, cuando el matemático estadunidense Norbert Wiener (1894-1964) *sistematizó** la relación de los seres humanos con las máquinas y su posible coevolución, luego de intercambiar experiencias y datos de laboratorio sobre el funcionamiento del sistema nervioso central (SNC) con el neurofisiólogo mexicano Arturo Rosenblueth (1900-1970). Así que la reunión de las matemáticas y la neurofisiología (en particular la electrofisiología) conformó el núcleo inicial de la cibernética. Pero ésta posee una historia anterior, sustentada en lo que sabemos de los ingenios más antiguos, en la constante analogía máquina-cuerpo establecida en la obra de los científicos, filósofos y escritores de muchas épocas, en el desarrollo notable de las matemáticas registrado sobre todo entre los siglos XVII y XX y en el cúmulo de conocimientos biológicos sobre las especies.

Un objeto de estudio característico de la cibernética es el problema cerebro-mente. Como una ciencia híbrida surgida de las matemáticas y la neurofisiología, la cibernética fue una de las primeras ciencias abiertas del siglo XX, fundacional en diversos campos: teoría del conocimiento, inteligencia artificial, computación, bioelectrónica y robótica, entre otros.

No es extraño que en la cultura moderna, cuyo fin está simbolizado por la caída del muro de Berlín, y en la posmoderna haya influido la cibernética. La serie televisiva *Viaje a las estrellas*, clásica en la cibercultura

de finales del siglo XX, privilegia una salida bio-
mecanicista respecto a otra de orden biogenético en
un asunto de capital importancia para la inteligencia
en cualquier parte del Universo: cómo transportar
información, ya sean simples datos, objetos materiales e inclusive personas y animales. Así, Wiener piensa que es posible, al menos conceptualmente, tele-
transportar a un ser vivo, como lo hace la tripulación
del señor Spock en *Viaje a las estrellas*: "Puesto que
todos los signos vitales parecen centrarse en el nivel
molecular, podría ser que si digitalizamos a una persona, molécula por molécula, y la enviamos como información, acompañada de las substancias químicas
pertinentes desde la Tierra a Marte, una máquina allá
podría reensamblar a dicha persona".

Las implicaciones de este enfoque para el futuro de
la civilización son definitivas. Significa que, al salir
de la Tierra y colonizar otros mundos, los seres humanos tendremos que reproducir nuestro ambiente de
manera artificial y para ello dependeremos de las máquinas. Aun hoy en la Tierra, la simbiosis es casi completa: las máquinas y las personas trabajamos de la
mano; aquéllas son nuestra prótesis virtual.

*Para la cibernética es
indiferente que sea un
organismo o una máquina
lo que establece una
relación con el medio,
puesto que ambos
intercambian información
en su entorno y actúan en
él. Su método es sistémico
y abierto.*

El capitán Pickard en
Viaje a las estrellas.

Escribir, coser y volar

Escribir, coser y volar son actividades inteligentes que ahora realizan no sólo los seres humanos sino también las máquinas. Detrás de ellas surge la idea de que el razonamiento lógico es traducible a un tipo de cálculo.

El pensamiento mecanicista de Descartes y los ingenios de los maestros del arte de los autómatas ayudaron a cerrar el círculo animal-humano-máquina.

Al tratar de encontrar reglas de razonamiento y certidumbre, René Descartes y otros filósofos y matemáticos impulsaron el crecimiento exponencial de la cibernética y sus productos, lo cual ha desembocado en un mundo nuevo y sugestivo, como lo es, por ejemplo, el de la animación generada por computadora.

Desde hace siglos, las máquinas se conciben y diseñan para efectuar tareas determinadas. Hacen lo que los seres humanos desean que hagan, pero algunas no copian la manera de hacerlo propia de otros seres (las aves y los insectos con sus diferentes formas de vuelo y los peces al nadar, por ejemplo). Más bien se limitan a exhibir comportamientos análogos a algo que en las personas se ha atribuido a la inteligencia o a una capacidad innata de copiar a la Naturaleza con mayor o menor fortuna, y que ningún animal alcanza con el mismo grado de perfección de los seres humanos.

Las máquinas son manifestaciones de la inteligencia porque nos distinguen de los animales. De hecho, a lo largo de muchos siglos, la especie humana ha buscado despojarse de su condición animal en vano. Lo que ha logrado, en cambio, es cerrar un círculo entre animalidad-humanidad-mecánica. "¿Son los animales simples máquinas?", se preguntaba Francis Bacon, "¿y nosotros, qué somos, hombres-máquinas?" Leonardo da Vinci reconoció en la estructura y el funcionamiento de los huesos y coyunturas, tanto de los animales como de las personas, los mismos principios mecánicos que podían aplicarse a las máquinas.

Sus dibujos transparentes y tridimensionales demostraron que los seres humanos, los animales y las máquinas podían explicarse en términos mate-

máticos. Sus libros de trabajo están llenos de anotaciones que preludian el mundo cibernético del siglo XVII. A partir del dibujo de un caracol imagina un helicóptero, los elefantes lo inspiran para inventar un tanque militar, y un pájaro es un instrumento que trabaja de acuerdo con una ley matemática. Lo más importante fue que logró establecer analogías pertinentes entre el funcionamiento del cuerpo humano y la naturaleza de las máquinas, al igual que lo hicieron en su momento los habilidosos dibujantes de Agricola y Vesalio entre ellos el célebre Tiziano.

Pensadores notables como Michel de Montaigne intervinieron en el acalorado debate sobre si era preciso o no considerar máquinas a los animales. Admirador ferviente de éstos, al igual que Tomás de Aquino, Montaigne creía que eran "más naturales" que los seres humanos y, por ende, superiores a nosotros. Los libertinos y *beaux-esprits* interpretaron con gran entusiasmo esta aseveración y se dejaron llevar por una supuesta "animalidad". La culminación de este azoro se encuentra en los escritos del marqués de Sade. Muchos otros pensadores de prestigio en Francia y en el exterior reaccionaron en contra de Montaigne, aduciendo que los animales eran simples máquinas y no tenían sentimientos, por lo que, de hecho, eran inferiores a los seres humanos.

Tomás de Aquino rechazaba que los animales tuvieran libre albedrío; para él, no eran más inteligentes que un reloj. En cambio, René Descartes, el filósofo que sentó las bases de la lógica moderna y es considerado el padre del mecanicismo, creyó más esclarecedor preguntarse antes: "¿Razonan los animales?" Concluyó que los hombres eran superiores no por el alma sino por la razón. La capacidad de equivocarnos es lo que nos distingue de las bestias; tal vez por eso pasó gran parte de su vida tratando de encontrar reglas de razonamiento y certidumbre.

Diversos temas comenzaron a aglutinarse en el preludio de la cibernética: resolución de problemas (a partir de 1600, la población comenzó a crecer cada vez más aceleradamente); conocimiento y razonamiento; actuación lógica; conocimiento incierto y razonamiento; aprendizaje; comunicación, percepción y actuación; creación y computación.

Naturaleza del pensamiento cibernético

Para comprender mejor el objeto de estudio de la cibernética, podemos empezar por reconocer su materia prima, el razonamiento formal, y su evolución hacia el "razonamiento difuso".

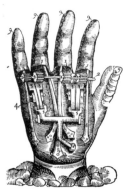

El médico francés Ambroise Paré (1510-1590) se anticipó a la aparición de las prótesis modernas, pues diseñó una mano que podía funcionar con poleas y palancas.

El razonamiento humano informal, cotidiano, es un fenómeno complejo que entremezcla datos provenientes de entornos muy distintos y las conclusiones a las que llega dependen del contexto, incompleto y, muchas veces, provisto de información poco fiable. En el razonamiento formal de las matemáticas, una vez probado, digamos, el teorema de Pitágoras, no habrá información posterior que invalide el hecho de que, en un triángulo rectángulo plano, el cuadrado de su hipotenusa sea igual a la suma de los cuadrados de sus catetos. En cambio, en un razonamiento común entre los seres humanos como el siguiente: "Pablo tiene novia, entonces Pablo está contento", no podemos aceptar como verdadera la segunda premisa, "Pablo está contento", aun cuando la primera sea verdadera. El razonamiento ordinario no infiere conclusiones necesarias sino por defecto, es decir hasta que dichas conclusiones no son desmentidas por una nueva información. Es, por tanto, un razonamiento defectivo que puede revisarse.

Mientras que en el cálculo o razonamiento formal el concepto clave es la afirmación verdadera, en el razonamiento informal la clave es la racionalidad. Admitimos una conclusión que podemos justificar con base en el conocimiento disponible. Así, dejamos en suspenso el hecho de que Pablo está contento hasta no comprobar en la realidad que, al menos, sonríe cada vez que ella lo llama por teléfono.

Hay cuatro formas generales del razonamiento revisable:

1. Razonamiento defectivo prototípico, como el que

rige en la regla: "Típicamente, los pájaros vuelan", cuando dos personas, A y B, platican:

A: Ramiro es un pingüino.

B: Entonces, Ramiro es un pájaro.

A: Sí.

B: Por tanto, Ramiro vuela.

A: No.

2. Razonamiento defectivo sin riesgo, en el que conclusiones erróneas llevarían a consecuencias desastrosas. Tal es el caso de la regla: "En ausencia de evidencia contraria, debe suponerse que el acusado es inocente", llamada de presunta inocencia.

3. Razonamiento defectivo por la mejor conjetura, en el que, a falta de evidencia o por necesidad de actuar, se elige una conclusión (de las varias posibles) que parece la mejor.

4. Razonamiento defectivo graduado, en el que ciertos grados de factibilidad son cruciales para llegar a una conclusión racional. Por ejemplo, si un avión ha caído en una selva muy densa donde es dificultoso llegar a cualquier sitio, los rescatadores sobreponen una malla al mapa de la zona, establecen para cada cuadrado un grado de factibilidad de que el avión se haya desplomado en él y buscan primero en los cuadros de mayor grado.

Una de las disciplinas emanadas de la cibernética, la inteligencia artificial (IA), simula acciones y razonamientos de este tipo mediante artefactos computarizados. Debido a las características del cómputo (que revisaremos más adelante), no sólo copia estos razonamientos revisables sino que los mezcla "libremente", lo cual ha creado sus propios marcos y análisis. Tal es el caso de la "lógica difusa" (*fuzzy logic*), en las matemáticas, y el comportamiento de algunas máquinas, en la robótica. No puede olvidarse el papel desempeñado por los teóricos del conocimiento. Algunos de ellos han experimentado en la fisiología del sueño y el papel de la conciencia, con resultados sorprendentes.

Formalización es el proceso mediante el cual las matemáticas se adaptan para realizar un procedimiento mecánico.

Hay dos formas de razonamiento: el formal, apegado a las matemáticas, y el informal o revisable. Los estudios sobre el razonamiento revisable nos ayudan a comprender mejor los problemas complejos de la realidad.

Una lógica difusa
La cibernética es una ciencia híbrida y su desarrollo implica diversas facetas y distintos niveles de discusión.

Para abordar la representación del razonamiento común es necesario poder manejar su imprecisión de manera flexible.

Ramon Llull (1233-1315), adelantándose a la cibernética, pensaba que era posible mecanizar los actos del pensamiento y que, en consecuencia, éste podía producirse fuera de la mente humana, como sucede con algunas máquinas en la actualidad.

Todo el progreso humano está basado en el conocimiento generado por el razonamiento más eficaz, ya sea difuso, formal o, como ocurre por lo común, una combinación de ambos. La agricultura y la medicina se inventaron para mantener un equilibrio con el medio circundante; son dos ejemplos fehacientes del poder de razonar en ambos sentidos (o "canales"). Si se quiere, pueden establecerse ciertas gradaciones. Así, podemos decir que al arado se llegó mediante el razonamiento difuso, mientras que los instrumentos de introspección de los organismos (como el microscopio) son inventos creados sobre todo por la vía formal.

En el lenguaje de la lógica clásica, hay varias operaciones que sirven para agregar: las conjunciones *y*, *o*. Por ejemplo: "Pedro es alto" y "Pedro es rico" pueden mezclarse en dos formas como "Pedro es alto y rico" y "Pedro es alto o rico", según conste que las dos son verdaderas o que una lo sea, aunque no sepamos cuál. En la vida diaria, en cambio, hay muchas más formas de agregar. Tal es el caso de los profesores, que elaboran y procesan, día a día, el cúmulo de información acerca de cada uno de sus alumnos, ya sea en forma escrita o verbal. Por más vaga e imprecisa que sea dicha información, la razonan, la computan de alguna manera y, en algún momento del día, la plasman en una lista de promedios.

El pensamiento formal, que tanto ha contribuido al desarrollo de la cibernética, es incapaz, sin embargo, de contener los casos de la lógica difusa. En la lógica clásica, la afirmación "p es menor que otra q, si p implica a q" quiere decir que q es mayor que p. Por ejemplo,

la afirmación p = "Pedro es alto y rico" presupone, en términos clásicos, un completo conocimiento de sus dos componentes ("Pedro es alto", "Pedro es rico"), así como de todas las afirmaciones menores que ambas, y la seguridad de que p es la mayor de todas ellas. Esta afirmación es un tanto irreal para las diversas situaciones que pueden enfrentar los seres humanos y muchas especies animales, pues se trata de datos que sólo son probables y que, por lo común, no forman un cuerpo completo sino parcial de conocimiento.

Apoyada en las matemáticas y en el cálculo de probabilidades, la lógica difusa trata de explicar estos casos complejos. Emplea por ejemplo, operadores como la media aritmética A $(x, y) = x + y/2$ con objeto de resolver ese problema. Con dicho operador se puede ver que, para valores de x e y entre 0 y 1, el cuadrado unidad se descompone en varias regiones: en una de ellas A se comporta como una conjunción y, en otra como una disyunción o, en otra más se entremezclan ambos comportamientos, mientras que en una cuarta región hay uno nuevo, distinto de los tres anteriores.

El objeto de la lógica difusa es comprender, asistida por computadora, la enorme flexibilidad del razonamiento cotidiano de las especies vivas dotadas de un sistema nervioso. Por ello han debido estudiarse todos los razonamientos de búsqueda. No obstante, pese a los avances del cálculo de probabilidades y las matemáticas, así como de las supercomputadoras de la década de 1990, aún no se ha generado un modelo satisfactorio. Para crearlo se necesitaría que grandes trozos de un discurso pudieran tener asociada una "lógica" muy general y que, en cada subpieza de dicho discurso, pudiera particularizarse un tipo de lógica concreta que, a su vez, se aproxime a la realidad lo suficiente, mediante un modelo matemático adecuado. También debería verse en qué casos y en qué condiciones limitativas tales modelos serían computables, es decir, realizables por medio de algún tipo de máquina.

La lógica difusa es una mejor herramienta para estudiar la complejidad, con la que se obtienen sistemas descriptibles por medio de reglas a las que se asigna un factor de certeza que unas veces es numérico y otras lingüístico.

Primeros autómatas

Por las venas históricas de la cibernética pasa la atracción milenaria que sentimos los seres humanos por los autómatas.

Se ha dicho que el científico describe lo que es, mientras que el tecnólogo crea lo que nunca fue, como es el caso de los autómatas.

Sabemos que los antiguos tenían ideas sorprendentes sobre la relación de los seres humanos con las máquinas y los animales. Los ruiseñores mecánicos rivalizaban con los naturales, sirvientes cuasi humanos servían el vino y dragones "automáticos" eran el divertimento de los jerarcas de la China antigua; sabemos, asimismo, que las voces de los oráculos en Delfos operaban mediante un mecanismo de viento y famosos son los ingenios salidos de la cabeza de Arquímedes. No sabemos cuántos de los cientos de autómatas evocados en los textos chinos, griegos, hindúes y, poco más tarde, árabes fueron construidos en realidad, pero forman parte de la mitología y son símbolos en nuestra relación ambigua con las máquinas y los animales.

Se han encontrado huellas muy remotas de los autómatas en los tratados de Herón de Alejandría, quien suponía que si los humanos seguían principios físicos, sus émulos mecánicos también debían hacerlo. Ahí aparecen descritos artefactos animados por vapor de agua, el flujo de un líquido o simple gravedad, como la muchacha que acerca su hidria a una jícara. En la *Ilíada*, Homero menciona a una clase de autómatas creados por Hefesto, con los que mantenía brioso el fuelle del herrero. Feo y de mal carácter, arrojado por su madre Hera desde la cima del Olimpo porque había nacido enclenque y rescatado por Tetis y Eurínome, Hefesto tenía a su servicio muchachas de oro que parecían reales. No sólo podían hablar y adornarse, pues también

La gruta de Orfeo, según el constructor de autómatas Salomón de Caus.

poseían entendimiento y eran capaces de realizar las tareas más complicadas que él les encomendaba.

Los autómatas se convirtieron en figuras públicas cuando los relojeros convencieron a las autoridades eclesiásticas de adornar las catedrales con ellos. Marcaban el paso de las horas en ciudades donde llegar aquí y allá se volvía cada vez más necesario y cotidiano (los relojes de bolsillo para los viajeros, comerciantes y políticos no se popularizaron sino hasta entrado el siglo XIX) y daban un toque de fascinación y magia a la dura vida medieval. Así, el reloj astronómico de la catedral de Estrasburgo, construido entre 1352 y 1354, y reconstruido entre 1571 y 1574, ponía en acción varias figuras mecánicas que amplificaban el mensaje religioso, lo hacían más vivo y, en medio de la impresión, recordaban a los mortales lo perenne de la vida.

El Renacimiento trajo consigo confianza. La arquitectura se hizo magnífica y adquirió una gran finura racional. En muchos jardines se destinaron ciertos espacios a las creaturas cibernéticas: grutas que solían ambientarse con fantásticos autómatas movidos por energía hidráulica, algunos de ellos bañados en fuentes paradisiacas. Enrique IV hizo llamar a dos ingenieros italianos, Tomás y Alejandro Francine, para que construyeran las fuentes de su palacete, en Saint-Germain-en-Laye. Los hermanos Francine eran célebres por sus espectaculares juegos de agua y las grutas que crearon para el rey francés constituyeron algo sorprendente. Los invitados, colocados en terrazas desde donde podían admirar el Sena, veían representarse en aquellas cavidades conocidas escenas de la mitología grecolatina. En una de ellas, la figura de Perseo, de "tamaño heroico", descendía de la bóveda y con su espada combatía contra un enorme dragón. La bestia caía entonces sobre el agua de donde había surgido, amenazadora, empapando a toda la concurrencia.

Un típico androide del siglo XIX estaba constituido por motor, dirección y transmisión. El motor marchaba mediante un resorte tensado con una llave, al igual que en los relojes. Incluía también un gobernador, cuya rápida rotación era regulada por el aire.

Animal-humano-máquina: ¿círculo virtuoso?

El cartesianismo y el desarrollo acelerado de las matemáticas en el siglo XVIII abrieron un nuevo camino hacia la cibernética.

La introspección de los organismos vivos tuvo importancia capital en el posterior desarrollo de la cibernética.

Filareto, seudónimo de Arnold Geulincx, discípulo flamenco de Descartes, discurría: "¿Por qué mi cuerpo se comporta como si mi mente lo controlara?" Es como si portáramos dos relojes en absoluta sincronía, contestaba él mismo: uno marca las horas y obliga al otro a sonar sus campanas. Dios les da cuerda a ambos relojes y, al moverme, parece que mi voluntad ha actuado sobre mi cuerpo. El descubrimiento de la circulación sanguínea, efectuado por William Harvey en 1628, animó mucho a grandes pensadores como el mismo Descartes, quien, como dijimos, propuso el modelo mecanicista del mundo. Los androides, que mantenían vivo el viejo anhelo de imitar las formas y las actividades humanas, eran correspondidos por la Naturaleza, dispuesta a mostrar todos sus "mecanismos".

Uno de los más famosos creadores de autómatas fue Jacques de Vaucanson, nacido en febrero de 1709, en Grenoble. Cuando tenía unos treinta años, presentó ante la Academia Real de Ciencias de París un flautista que, mediante la encantadora combinación de movimientos de labios y dedos, lograba extraer del instrumento algunas octavas. Al ver este ingenio mecánico, el médico y entusiasta filósofo cartesiano La Mettrie dijo: "No pensaba que el flautista tocara la flauta, cosa boba, sino imaginaba el mecanismo que agitaba el aire y movía los dedos del flautista". Ese mismo año, el autómata fue presentado al público en el hotel de Longueville, acompañado de un pato y un tamborilero. El pato causó inmediata sensación, pues se mostraba cómo el animal bebía, comía y hacía la digestión. No sólo realizaba "mecánicamente" estas acciones, sino que alargaba el cue-

llo para tomar comida, tragaba, digería y arrojaba sus detritus.

El legendario mago Jean Eugène Robert-Houdin (1805-1871), quien había aprendido el oficio de relojero, recuperó este autómata en 1845. Admirador de Vaucanson, deseaba saber cómo había conseguido transformar alimentos en excremento. Había leído la crónica de aquella presentación en la Academia Real de Ciencias y había quedado un tanto decepcionado; no, desde luego, del genio de Vaucanson, sino por la falta de detalles en la descripción de las combinaciones mecánicas que animaban al pato. Años después, vio el artefacto en una exposición del Palais Royal y pudo admirar, aunque someramente, numerosos detalles en ese paseo por el interior de un cuerpo animal.

A lo largo de la historia, la polea, el autómata, el reloj, la máquina de vapor y la computadora han sido metáforas que han tratado de explicar lo que somos por dentro.

Con la suerte que siempre lo acompañó en sus muchos y arriesgados actos de escapismo, el autómata sufrió la descompostura de un ala a los cuantos meses y, como Robert-Houdin sabía relojería, consiguió que le confiaran a él la reparación del desperfecto. Por fin sería iniciado en el secreto de la famosa y misteriosa digestión. Pero, para su sorpresa, Vaucanson había empleado uno de los trucos que el mismo Robert-Houdin llegó a dominar con verdadera maestría. Había recibido una lección no de relojería —en la que Robert-Houdin creía a Vaucanson superior—, sino de chapuza.

El animal estaba dotado de un pequeño recipiente donde había trozos de semillas en agua. Al picotear, el animal ayudaba a despedazar más las semillas y facilitaba su introducción en un tubo escondido en la parte inferior del pico. Una vez chupadas, semillas y agua caían en una caja dentro de la barriga del artificio, que se vaciaba de tanto en tanto. Sin que nadie lo sospechara, se bombeaba en su lugar una pasta hecha de migajas coloreadas de verde, que se depositaba puntualmente, vía el trasero del pato, en una fuente de plata que pasaba de mano en mano entre los atónitos y engañados espectadores.

Este ingenio representa a un Pierrot condenado a escribir eternamente. De vez en cuando, el cansancio lo vence y comienza a cabecear. Entonces, la llama del quinqué que lo alumbra se desvanece; antes de caer en la penumbra, Pierrot despierta, reaviva la llama y reinicia sus trabajos. Creado por Gustave Vichy, *ca.* 1900.

Yo, robot

Con el paso del tiempo, los robots afianzaron su "personalidad" heredada del comportamiento humano.

¿Son los creadores de autómatas hábiles prestidigitadores de la conciencia o esas máquinas llegarán a tener existencia propia?

Un androide legendario fue el jugador de ajedrez que von Kempelen construyó en 1769. El "musulmán de hierro", como era conocido en la época, despertó enormes inquietudes. El mismo Edgar Allan Poe escribió "Maezel, el ajedrecista" para tratar de explicar su funcionamiento. Las historias cuentan que alguna vez derrotó a Napoleón y en otra oportunidad puso en ridículo a Catalina la Grande, emperatriz de Rusia. En realidad, se trataba de un hombre escondido dentro del pretendido autómata. Eugène Robert-Houdin aseguraba que von Kempelen lo había construido para un rebelde polaco llamado Wourousky, quien tenía que huir del país y, además, había perdido ambas piernas durante una revuelta contra la ocupación rusa de Riga.

A pesar de que los androides de las últimas décadas han demostrado su enorme utilidad y la sinergia alcanzada entre seres humanos y máquinas inteligentes es evidente en muchos campos, no acaban de disiparse todas las dudas al respecto. Hay en ello una sombra de Prometeo, el recuerdo de Talos el vigilante, concebido por Hefesto, el divino constructor de máquinas con apariencia humana, y el de Joseph Golem, hombre de arcilla amasado por el rabino de Praga para espiar a los ciudadanos. Todos son símbolos de esa relación ambigua con las máquinas.

Los rasgos cibernéticos de las culturas, en efecto, despiertan sentimientos encontrados en las personas. Además, no deja de ser significativo que el mito del doctor Frankenstein esté tan asociado al temor a las máquinas. El monstruo creado por el personaje de ese nombre no es una máquina, sino un organismo, lo cual confirma el círculo entre animales-seres humanos-máquinas. Por eso, en cierta forma se piensa que es una

advertencia sobre algo tan anhelado y, a la vez, temido: dar la vida a un autómata.

La discusión sobre la supuesta inmoralidad de pretender dar la vida a "seres" que, más tarde, terminarán por someternos, ha quedado atrás por varias razones. Primero, porque las disciplinas que conforman el núcleo científico de la cibernética no buscan emitir juicios sociopolíticos sobre determinado suceso, sino explicar los hechos naturales de la manera más sencilla y con base en evidencia experimental.

Tanto en las neurociencias como en la ingeniería eléctrica aplicada en la IA existe un programa que, a falta de otro mejor, ha llevado a aclarar por lo menos algunas cuestiones básicas sobre el comportamiento de las máquinas y los seres vivos. Prótesis para personas lisiadas, robots en lugares inhóspitos y peligrosos, celdas inteligentes que regulan el paso de la luz, ahorran energía y ofrecen comodidad son algunos productos de la investigación en el núcleo de la cibernética.

El gran matemático Roger Penrose ha dicho que, por muy rápido que viajen las señales algorítmicas en una computadora, ella no sabrá de sí misma ni del mundo externo. Nunca podrá concebir un modelo y jugar con él.

Análisis de los mecanismos del habla, por von Kempelen, quien construyó una máquina parlante.

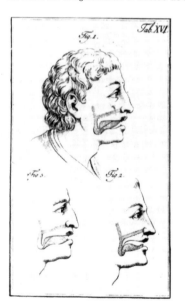

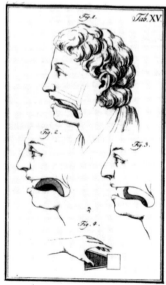

Operaciones lógicas

Al traducir en términos matemáticos el silogismo, pieza clave del razonamiento humano, George Boole abrió la puerta de la mecanización de las operaciones lógicas.

Autodidacta de las matemáticas, el inglés George Boole (1815-1864) se dio cuenta de la capacidad de los símbolos para representar y combinar los conceptos.

Aristóteles, basó el estudio de la lógica en el silogismo. Boole estableció un "cálculo" que permitía obtener conclusiones de los silogismos a partir de sus premisas. Su idea consistió en abordar el problema desde el punto de vista de las clases. Así, en el silogismo

Todos los poetas son animales (1ª premisa)

Todos los animales son mortales (2ª premisa)

Todos los poetas son mortales (conclusión),

se presentan las siguientes clases: los poetas P, la clase A de los animales y M de los mortales. Una sencilla operación de intersección, es decir, lo que es común a todas las clases y se representa con el signo . (un punto), nos permite escribir las dos premisas en forma de las siguientes ecuaciones:

$P = P.A$ (1ª premisa)

$A = A.M$ (2ª premisa)

Basta sustituir la A de la segunda ecuación en la A de la primera, de lo cual nos resulta:

$P = P.A = P. (A.M)$

A continuación, Boole aplicó la ley asociativa o regla de corrimiento de los paréntesis que él mismo probó con clases, al igual que con números:

$P = P.A = P. (A.M) = (P.A). M.$

Ahora basta sustituir P.A por P (la primera ecuación o premisa) para llegar, finalmente, a la ecuación $P = P.M$, según la cual "Todos los poetas son mortales". Con ello se obtiene la conclusión del silogismo mediante un cálculo algebraico con ecuaciones, en el que las únicas reglas aplicadas han sido las de sustitución de símbolos iguales —A por A.M y P.A por P— y de corrimiento de los paréntesis —es decir, la igualdad entre los símbolos compuestos P. (A.M) y (P.A). M.

Al formalizar este cálculo, Boole demostró una propiedad que no se da en el cálculo con la suma y producto de números. En efecto, en este mismo cálculo, las ecuaciones x.x = x, x+x = x sólo se verifican si la incógnita x vale 0 y 1. Sin embargo, en el cálculo con clases, cualquiera que sea la clase X, siempre resulta

X.X = X,

que, por tanto, refleja una ley del cálculo con clases, llamada "ley de idempotencia" y que, en el caso particular X = A, en el que A.A = A, sólo dice: "Todos los animales son animales". El álgebra de Boole, con la ley de idempotencia, expandió las matemáticas. No se trataba ya de meros símbolos (variables o constantes) que representaban números, sino también de símbolos que representaban otros conceptos. Y éstos no eran necesariamente cuantitativos.

Además, Boole encontró que podía representar, por ejemplo, la afirmación "Jesús es un hombre" con la ecuación φH (Jesús) = 1 (aunque él usó un simbolismo ligeramente distinto), donde el símbolo φH es la llamada función de elección, pues asigna un valor numérico, 1, a cualquier hombre y 0 a todo lo que no lo sea. Así, φH (el vaso en el que bebo) = 0, pero φH (el cartero que llama a la puerta) = 1. Por tanto, si C es la clase de los Calvos, tenemos:

$\varphi H.C$ (x) = 1, sólo si x es un hombre y está calvo, o sea sólo si φH (x) = 1.

Entonces, el hecho de que la afirmación "x es H" sea verdadera se traduce con la fórmula matemática φH (x) = 1, y el que la afirmación "x es H" sea falsa se traduce con φH (x) = 0. Con ello, Boole consiguió pasar de las expresiones lingüísticas sobre la verdad o falsedad de las afirmaciones del tipo "x es H" a un cálculo con números.

Gracias a esta "matematización" del silogismo, todo mundo advirtió que la lógica no era un adorno más para pasar la tarde sino que, como la ciencia de los procesos válidos de razonamiento, tenía una utilidad enorme.

A mediados del siglo XIX, las necesidades de la física y de las técnicas llevaron a los científicos ingleses a estudiar con éxito métodos de cálculo matemático simbólico, lo que produjo una notable confianza en su capacidad para resolver con facilidad y claridad problemas difíciles o mal planteados.

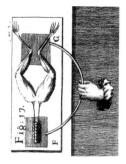

Las neurociencias dieron pasos definitivos hacia la mecanización del fenómeno neurológico, como lo demuestra el interruptor de Galvani en las ranas de Volta.

El molino de Charles Babbage

La primera máquina computadora fue inspirada por el telar mecánico de Joseph Marie Jacquard.

Charles Babbage y Ada Lovelace se adelantaron más de un siglo a la computación, una de las herramientas esenciales de la cibernética.

La "pascalina", obra de Blaise Pascal (1623-1662), fue la primera máquina digital de calcular y era capaz de hacer sumas hasta de ocho dígitos por medio de ruedas dentadas. Cada una de las unidades, decenas, centenas, etc., estaba asociada a una rueda, de manera que la correspondiente operación de "salto" a la decena siguiente se completaba, pues la rueda situada inmediatamente a la izquierda de aquella que pasaba del dígito 9 avanzaba un diente. W.G. Leibniz (1646-1716) también se sintió atraído por estos ingenios e intentó diseñar una máquina capaz de sumar, restar, multiplicar y dividir. El éxito de su invento puso de manifiesto sus magníficas dotes teóricas. Pero ni la "pascalina" ni la máquina de Leibniz podían programarse para efectuar varias operaciones y se limitaban a realizar una en cada paso. Sería un inglés, imbuido del espíritu de la Revolución Industrial y de la ideología de expansión que alentaba entonces al imperio británico, quien obtendría mejores resultados.

Visionario de la cibernética, el matemático inglés Charles Babbage (1791-1871) fue un alumno brillante del conocido inventor de Cambridge John Merlin. Tenía 44 años de edad cuando conoció a Ada Lovelace, quien a sus 17 tenía una comprensión de las matemáticas y las ciencias poco común entre las mujeres de la época. Babbage no sólo sabía que Ada era hija de Lord Byron, el gran poeta; también reconoció en los ojos de la joven los signos de la nueva cultura. Y el momento para impulsar ésta fue 1820, cuando la Armada Británica le encargó a Babbage mejorar sus cartas astronómicas, con el fin de reafirmar el control del comercio marítimo inglés. En las cartas, calculadas a mano, había infinidad de errores, por lo que Babbage se dedicó a

Ada Lovelace (1815-1852).

diseñar sistemas mecánicos que efectuasen en forma automática, y sin errores, tales cálculos.

Eso lo puso en el camino. Imaginó un dispositivo, el "almacén" (esto es, la memoria) en donde pudieran guardarse mil números con 50 decimales de precisión. Estos datos pasarían a un "molino" (unidad de procesamiento central) que llevaría a cabo las operaciones aritméticas. Toda la sucesión de operaciones que realizaría la máquina (su programación) se controlaría mediante unas tarjetas perforadas removibles, como las que había inventado, en 1805, el francés Joseph Marie Jacquard. Así como el telar de este último tejía telas, el molino de Babbage "trenzaba" cálculos. Y no lo hacía con una manivela (recurso anticuado), sino con la fuerza del vapor (símbolo del progreso en la época de Babbage y Ada Lovelace).

Las tarjetas debían ser de dos tipos: las de datos y las de órdenes con las instrucciones para procesarlos. Puesto que el telar mecánico podía manejar hasta 20 mil tarjetas y componer patrones distintos, de igual modo la máquina analítica sería capaz de efectuar diferentes patrones de computación, es decir seleccionar, entre los datos almacenados, los que se indicaran y efectuar con ellos diversas combinaciones de operaciones. Lo que hoy parece tan común, "programar" una máquina, en ese momento constituyó un salto exponencial en el camino de la cibernética. La meta de Babbage era que la máquina sumara o restara números de 50 dígitos en un segundo y los multiplicara o dividiera en un minuto. Para tal efecto, los valores de los logaritmos y de las funciones trigonométricas debía aportarlos un operador, a quien la máquina avisaba mediante una campana; si el operador se equivocaba al dar los datos, otra campana sonaba más fuerte. Ada, inquieta por los posibles errores en la preparación de las instrucciones, ideó un lenguaje mnemotécnico que la máquina traduciría a instrucciones interpretables por ella. Esto es lo que hoy en día hacen los compiladores.

Babbage refinó su diseño a tal grado que la máquina analítica empezó a costar una fortuna, y el gobierno inglés le retiró su apoyo. Ada Lovelace y él invirtieron sus recursos para continuar pero no fueron suficientes. En realidad, el artefacto no se construyó porque la tecnología de la época no permitía fabricar piezas tan precisas y pequeñas. Sus cuatro mil componentes ocupaban cinco metros cúbicos.

En 1991, el Museo Británico de Ciencias decidió terminar el prototipo de la máquina analítica de Babbage y se demostró su perfecto funcionamiento.

El sistema binario

El sistema binario o de base 2 es una forma muy económica de transmitir información inteligente, por lo que fue una herramienta esencial en el desarrollo de la cibernética del siglo XX.

El principio de sencillez que guió a Boole y a Babbage condujo al sistema binario que muchos años más tarde encontraría una espectacular aplicación en las computadoras y, en general, en la "numerización" de las imágenes y el sonido.

El sistema binario, en que se basa el funcionamiento físico de las computadoras, consiste en transmitir información mediante interruptores que pueden estar abiertos o cerrados. Se representa en base 2 o binaria, de manera que, cuando el interruptor no pasa corriente, es decir cuando está abierto, es igual a 0, mientras que cuando está cerrado la corriente pasa y, entonces, es igual a 1. En base 10, el número que sigue al 1 se escribe como $2 = 2.10$; en base 2 ese mismo número se escribe:

$$10 = 1.2^1 + 0.2^0.$$

La simplificación es clara. Mientras que en el sistema binario los únicos signos que se utilizan son dos, 0 y 1, en base 10 o sistema decimal deben emplearse diez dígitos (del 0 al 9). Esto no sólo simplificó los cálculos rutinarios; mostró también que las operaciones lógicas son reproducibles mediante circuitos, siempre y cuando se convenga que si una afirmación es verdadera, siempre tendrá el valor 1. Si es falsa, su valor será 0. En un interruptor se representa así:

de manera que el estado abierto sea ⟋— y el cerrado sea ——. Con ello, cada afirmación corresponderá a un interruptor del circuito, el cual tendría tantos interruptores como afirmaciones se quiera combinar en términos lógicos. Por ejemplo, la afirmación compuesta

"Juan canta y Pedro baila"

admitirá tantas posibilidades de ser verdadera como conexiones distintas del circuito donde el interruptor A representa a "Juan canta" y el B a "Pedro baila". En efecto, "Juan canta y Pedro baila" es verdadera si y sólo si lo son ambas, "Juan canta" y "Pedro baila", y resulta falsa en cualquier otro caso; es decir, la única configuración verdadera es la

en tanto que las otras tres posibles,

implican que "A y B" sea falsa. Asimismo, "Juan canta o Pedro baila" admitirá tantas posibilidades de ser verdadera como configuraciones tenga el circuito

ya que "A o B" es falsa sólo si son, a la vez, falsas A y B; es decir, "A o B" es una afirmación verdadera sólo cuando, por lo menos, una de las dos A y B sea verdadera, como en el caso de las siguientes configuraciones:

Y será falsa sólo en esta cuarta configuración:

En el caso de una afirmación B = no A, la negación de A, la configuración del circuito

deberá ser la contraria. En otras palabras, si A es falsa, el interruptor estará abierto y, por ende, B será verdadera y su interruptor estará cerrado. Y al revés:

Por complicada que sea una afirmación compuesta por medio de las conectivas lógicas *y*, *o*, *no*, se puede construir un circuito con interruptores tal que ofrezca todas las posibilidades de verdad de la afirmación compuesta. Así, el poder del cómputo potenció la comprensión del razonamiento humano.

Un bit (unidad fundamental de la escritura cibernética) tiene dos posibilidades: el 1 y el 0. Pero dos bits ofrecerán 4 posibilidades (2 x 2 o 2²), etc. Puede verse la enorme capacidad de transmitir información de esta manera, ya que un código, digamos, de 7 cifras permite 128 combinaciones de 1s y 0s (2⁷ = 128). Este código es la base del sistema estándar para la transmisión de información (llamado ASCII), más tarde ampliado a 8 bits.

Mecanismos de información

La representación por circuitos concretó la mecanización de las operaciones lógicas y abrió nuevas interrogantes sobre la lógica del razonamiento.

Al digitalizarse el sonido o una imagen, los números representan determinada información.

La posibilidad de "digitalizar" una imagen, ya sea en blanco y negro o en color, se materializa cuando, en lugar de transmitir sólo números, éstos representan información. Esta información inteligente, significativa, se suministra, además, en trozos mínimos (llamados en inglés *bits*), de manera que cualquier máquina con circuitos adecuados al sistema binario y memoria de almacenamiento puede interpretar toda la información.

Así, por ejemplo, la afirmación "Sonia canta" puede representarse por la expresión φC (Sonia) = 1, siendo C la clase de personas que cantan en el momento de afirmar lo anterior. Si la afirmación es verdadera, se representa como φC (Sonia) = 1 y si es falsa como φC (Sonia) = 0. Así, el valor conferido por el inventor matemático estadunidense, Claude Shannon, es igual al de la función de elección dada por Boole. Esta función se llama "de pertenencia a la clase en cuestión".

Si φC (Sonia) = 1 es que Sonia pertenece a la clase C; si φC (Sonia) = 0 es que ella no pertenece a dicha clase. Además, si A y B son dos clases determinadas, es

$\varphi noA\ (x) = 1 - A\ (x)$

$\varphi A\ y\ B\ (x) = $ mínimo de los números $\varphi A\ (x)$ y $\varphi B\ (x)$

$\varphi A\ o\ B\ (x) = $ máximo de los números $\varphi A\ (x)$ y $\varphi B\ (x)$, con lo que, por ejemplo, la clase (A y no B) o (no A y B) = D tendría la función de pertenencia

$\varphi D\ (x) = $ máx (mín ($\varphi A\ (x)$, $1 - \varphi B\ (x)$), mín ($1 - \varphi A\ (x)$, $\varphi B\ (x)$)).

Si lo vemos bien, esta fórmula aritmética engloba los circuitos de las páginas 22-23. Por consiguiente, el álgebra de Boole, al ser equivalente al cálculo lógico con circuitos de Shannon, resultó la teoría matemática que impulsó la mecanización de las operaciones lógicas con afirmaciones del tipo "x es C".

Vale la pena hacer notar que el álgebra de la lógica de Boole no abarca toda la lógica del razonamiento; se refiere, eso sí, a una parte importante, aunque particular, de afirmaciones. No vale, por ejemplo, para expresar una afirmación como "Algunas mujeres llamadas Sonia cantan". Ello exigía un nuevo formalismo, que llegó alrededor de 1879, cuando el matemático alemán Gottlob Frege (1848-1925) introdujo el concepto de predicado como una relación entre objetos de distintas clases. Digamos que la afirmación "Pedro viaja a Morelia" se representaría por el predicado "viaja" en la forma

Viaja (Pedro, Morelia).

En este caso, un predicado P establece una relación P (x, y) entre los objetos x de una clase (personas, en nuestro ejemplo) con los de otra clase (ciudades). Para establecer su cálculo de predicados, Frege introdujo dos operadores básicos: "para todo" (escrito $\forall$) y el operador "existe un" (escrito $\exists$). Con ello, la frase "Algunas mujeres llamadas Sonia cantan" se representaría por $\exists$ x(x = Sonia) : C (x, canta). La frase: "Todas las casadas tienen un marido" se representaría, asimismo, por $\forall$ x, $\exists$ y:CAS(x, y), con x = casada, y = marido, CAS = casada con.

Gracias a las ideas de Frege fue posible probar teoremas por aplicación de reglas "tipográficas" a conjuntos de símbolos previamente definidos y, así, se logró un verdadero cálculo del razonamiento en contextos bien acotados, a partir del cual han podido programarse las computadoras desde entonces.

A veces resulta difícil creer que las matemáticas tengan tanta influencia en nuestras vidas. Pero si no hubiera sido por la obra de matemáticos como Boole y Frege, inventores como Babbage e inventores-matemáticos como Claude Shannon, nadie podría disfrutar ahora, por ejemplo, del sonido "digital".

Transformación del sonido analógico en sonido digital.

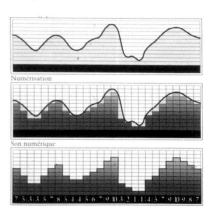

El problema de los *algoritmos**

La aparición de una hiperciencia cibernética y, en particular, el nacimiento de una materia que apuntaba ya hacia la IA obligaron a los matemáticos a resolver una cuestión fundamental: la mecánica de la intuición.

El cálculo de Frege tampoco pudo abarcar toda la lógica, como lo hizo notar en su momento Bertrand Russell (1872-1970), pero ahondó en la naturaleza del pensamiento y dio sentido al trabajo del matemático austriaco Kurt Gödel (1906-1978). Éste probó en 1931 que en el sistema de Frege, ampliado por Alfred N. Whitehead (1861-1947) y el propio Russell, hay teoremas verdaderos que nunca podrán ser probados en cualquier número finito de pasos de razonamiento. Además, Gödel descubrió que todo el sistema lógico consistente tiene la misma debilidad; que hay afirmaciones para las que la nueva sentencia: "Esta afirmación no puede probarse con el formalismo del sistema" es verdadera, con el hecho sorprendente de que el razonamiento humano puede reconocer la verdad de la afirmación sin que el sistema lógico pueda hacerlo. Las personas reconocen esa verdad razonando sobre el "significado" de la afirmación, en tanto que el sistema lógico no puede hacerlo, ya que los símbolos de la afirmación no tienen significado para él.

La representación de la realidad por medio de algoritmos tiene serias limitaciones, no así la representación neurológica.

De hecho, Gödel quiso responder al último de los 23 problemas (el llamado problema de decisión o *Entscheidungsproblem*) que, en 1900, propusiera el matemático alemán David Hilbert (1862-1943). Este problema, como había predicho Hilbert, ocupó gran parte de los esfuerzos realizados en matemáticas durante el siglo XX. El problema planteaba: "¿Hay un algoritmo para decidir la verdad de cualquier afirmación lógica relativa a los números naturales?" Esto, en el fondo, trataba de aclarar si había límites o no a la potencia de los procedimientos de prueba efectiva; Gödel demostró, en 1931, que sí hay límites reales. Su teorema de "incompletitud" mostró que, en cualquier lenguaje que sea suficientemente expresivo como para describir las propiedades de los números naturales, hay afirmaciones verdaderas que son indecidibles y cuya verdad, por ende, no puede decidirse por medio de ningún algoritmo.

Por ser un procedimiento general, un algoritmo debe contemplar las distintas alternativas que pueden presentar los datos, de forma que, en cualquier caso, se alcance la solución. La obtención de algoritmos es muy importante cuando éstos pueden mecanizarse mediante la utilización, por ejemplo, de una computadora. Puesto que estas máquinas sólo llevan a cabo operaciones muy simples y, además, un programa no es sino un algoritmo formado por instrucciones ejecutables por la computadora, la disyuntiva al elegir dos o más algoritmos que resuelven el mismo problema es crucial. Para ello es preciso atender dos circunstancias: la rapidez del proceso y la presencia de error.

Entonces, ¿a partir de elementos fundamentales de las matemáticas, la lógica y la teoría de números, puede llegarse a todas las verdades matemáticas? En 1928, David Hilbert identificó tres preguntas mediante las cuales se podía determinar si un conjunto de reglas finito, o al menos descriptible en términos finitos, puede o no definir un universo matemático cerrado. ¿Se puede probar que los fundamentos son consistentes (de manera que una afirmación y su contradicción no pueden probarse al mismo tiempo)? ¿Todas las afirmaciones verdaderas pueden probarse dentro del mismo sistema? ¿Hay un procedimiento decisivo tal que, dada una afirmación cualquiera en un lenguaje determinado, producirá una prueba finita de esa afirmación, o tal vez una construcción definida que la refuta pero nunca ambas?

Un algoritmo es una serie finita de reglas o métodos definidos para obtener una solución de un problema o responder a una pregunta en un número determinado de etapas.

Puesto que los datos de entrada que se obtienen a partir de mecanismos de medición rara vez son exactos y, como se infiere de lo demostrado por Gödel, también el algoritmo introduce un error por defecto, es necesario recurrir al algoritmo que minimice el crecimiento del error, aunque el proceso no sea tan rápido.

Las máquinas abstractas de Turing

Puede considerarse a Alan Turing el padre de la IA, aunque este nombre no se utilizó hasta después de 1956. Turing estableció un nuevo paradigma cibernético y con ello amplió las fronteras de una ciencia abierta.

Para poder construir algo, antes hay que imaginárselo. Turing permitió pensar en las computadoras en abstracto y probó uno de los teoremas fundamentales de la ciencia computacional.

Los teoremas de incompletitud de Gödel, como vimos, demostraron que no existe un solo sistema matemático suficientemente poderoso para que la vida ordinaria pueda establecer su consistencia sin ayuda externa. La cuestión quedó en el aire: ¿cómo debe definirse en términos matemáticos un supuesto procedimiento mecánico de la intuición? Bajo el punto de vista cibernético, el matemático inglés Alan Turing (1912-1954) dio pasos agigantados para resolver este problema. En lugar de revisar el trabajo de sus antecesores y copiar el enfoque que habían dado al problema de decisión, planteado por su maestro David Hilbert, Turing inventó sus propias reglas.

Empezó por construir mentalmente una máquina, un computador (que, en 1936, no quería decir máquina calculadora sino un ser humano equipado de lápiz, papel, instrucciones explícitas y tiempo para dedicarse a ello). Luego sustituyó los componentes precisos hasta que obtuvo una descripción completa y formal de "lo computable".

La máquina de Turing es una caja negra (tan simple como una máquina de escribir y tan compleja como un ser humano) capaz no sólo de leer y escribir un alfabeto de símbolos finito a partir de una cantidad finita pero muy grande de cinta de papel, sino de modificar su propia configuración o "estado mental". Se dice, entonces, que hemos encontrado un "algoritmo efectivo". Vale la pena hacer notar que un algoritmo es efectivo sólo si es traducible a las acciones de una máquina con reglas de funcionamiento precisas. Así, el algoritmo efectivo de la multiplicación consta

de todas las reglas que nos permiten efectuar cualquier multiplicación.

Si, como dijimos, un algoritmo es una serie de instrucciones que, aplicadas a los datos, nos permiten llegar a resultados correctos, la máquina de Turing se convirtió en un instrumento ideal para probar si un procedimiento es efectivamente computable o no. Turing aceptó que todo algoritmo puede especificarse por completo y ejecutarse mediante algún dispositivo automático. Esto permitiría un sinfín de posibilidades, pues implica que cualquier incremento en la dificultad del algoritmo puede ser aceptado por una lista más larga de especificaciones.

Las computadoras de hoy son producto de las máquinas abstractas de Alan Turing y el diseño del ingeniero estadunidense de origen húngaro, John von Neumann (1903-1957). Hasta 1946, las máquinas calculadoras usaban cables y conectores a un tablero, el cual debía configurarse en cada nuevo cálculo. Esto significaba recablear cientos de conexiones. John von Neumann, junto con otros colegas, publicó un artículo donde proponía "almacenar en la memoria" de la máquina los algoritmos codificados. Desde entonces, casi todas las computadoras se construyeron con la "arquitectura" de von Neumann.

La genial manera de formalizar en términos matemáticos la correspondencia, hasta entonces informal, entre "procedimiento mecánico" y algo "efectivamente computable" mediante ciertas funciones introducidas por Gödel, convirtió a Alan Turing en una leyenda y en objeto de culto de los científicos cibernéticos.

John von Neumann y una de sus primeras computadoras.

Números computables e intuición

Entre sus experimentos mentales, Turing ideó una máquina universal susceptible capaz de ser programada y capaz de realizar cálculos complejos con base en los números computables.

La conclusión de Turing fue que una máquina hipotética, capaz de realizar tareas con un número finito de "estados internos", podía ser "programada" para efectuar cualquier cómputo realizable por una persona.

En la máquina ideada por Alan Turing, los símbolos que escribiría y leería deberían generarse de forma finita, y tanto la escritura como la lectura de los mismos habría de efectuarse sobre o desde algún soporte material (por ejemplo, una cinta dividida en casillas). Como no se puede, en general, prever la extensión de cualquier cómputo, es preciso suponer que el soporte no se acabará: deberá ser una cinta de papel sin fin. Enseguida, tendría que ser posible recuperar la información de casillas anteriores, por lo que el soporte debería permitirlo, avanzando o retrocediendo para "leer" lo que había en sus partes. Cada vez que se anota un resultado o se lee un dato es porque a continuación debe hacerse algo más. Para ello, Turing supuso que

Alan Turing "potenciado" por la revista *The Economist*.

la máquina debería tener "estados internos", que no son otra cosa que la lista de instrucciones.

Turing demostró que, sin importar cuán complicados fueran los algoritmos, su máquina era capaz de hacerlo todo por sí sola. Este artefacto hipotético recibió el nombre de "máquina universal de Turing" y su existencia teórica permite, como dijimos, que cualquier incremento en la complejidad del algoritmo sea aceptado por una lista más larga de instrucciones que, a partir del diseño de von Neumann, estarían almacenadas en una memoria. Gracias a los números computables, como Ramon Llull lo había vislumbrado en el siglo XIII, el pensamiento podía ahora, en efecto, desarrollarse fuera de la mente humana.

Si se quiere especificar efectivamente un algoritmo, debe disponerse, pues, de un lenguaje para escribir las instrucciones. No obstante, en la vida ordinaria hay una multitud de procedimientos prácticos que no se comunican por medio de un lenguaje formal, esto es, en un lenguaje simbólico de precisión absoluta. Una receta de cocina es un ejemplo de algoritmo para preparar una buena comida, pero no está por completo especificado, pues contiene expresiones como "agregar yerbas de olor al gusto" y "cocer unos 20 minutos a fuego lento". Para una máquina de Turing, ésas son reglas imprecisas. Así, hay procesos expresables en un lenguaje formal, con los que la mente humana es capaz de operar para obtener, en nuestro ejemplo, un platillo sabroso, lo cual difícilmente hace una máquina hoy en día.

No obstante, como se ha dicho, un algoritmo puede ser muchas veces una buena aproximación al resultado esperado. Tal es el caso del diseño estructural de un edificio o el establecimiento de la órbita de un asteroide, cuyos pasos por un punto determinado del cielo se calculan con una precisión sorprendente. Pero no es el caso de muchas actividades cotidianas, como cocinar unos chiles en nogada y conducir un vehículo.

La máquina de Turing significó la conjunción histórica de un dispositivo mecánico y el cerebro humano, y planteó la pregunta de si existen actividades cerebrales que no puedan reducirse a algún tipo de cómputo, es decir, si donde termina la intuición no empiezan los números computables.

154025 res500000000000n9000000000000000000000000000000000000000000000

¿Puede una máquina pensar?

Alan Turing ideó una prueba para responder esta pregunta. Predijo que hacia el año 2000 una máquina lograría engañar a una persona sobre su identidad, al cabo de cinco minutos de preguntas y respuestas.

Los problemas que crecen exponencialmente no tienen ninguna solución práctica universal y hay que conformarse con soluciones que sean, al menos, satisfactorias.

La teoría matemática de la computabilidad ha probado que sólo un tipo especial de funciones, llamadas recursivas, pueden ser computadas, y que quizás en el caso de muchas otras funciones matemáticas eso no es posible. Esto nos sugiere que si la mente de un investigador es capaz de pensar tales funciones no recursivas, ello se debe a que el pensamiento no es mecanizable.

De hecho, el mismo Alan Turing probó la existencia de funciones que ninguna de sus máquinas podía computar; por ejemplo, ninguna de ellas era capaz de indicar, en general, si un programa dado brindaría una respuesta a partir de una entrada determinada o correría en forma indefinida sin darla. Ahora bien, eso no implica que no haya métodos algorítmicos aproximados que ofrezcan resultados satisfactorios como para que, aunque no todo el pensamiento sea mecanizable, se logre de él una eficiencia y automatización lo suficientemente significativa. Tampoco se ha probado que para muchas de las tareas que realizamos de forma con apariencia no algorítmica no haya, en realidad, algún algoritmo con el cual realizarlas. Sí se sabe, en cambio, que en bastantes casos, hay métodos algorítmicos que dan resultados buenos con un costo económico razonable, están sólidamente construidos y funcionan bien. Un ejemplo es una olla automática, muy popular en Japón, que cuece el arroz en el punto que le gusta tradicionalmente a su población, lo cual era considerado, hasta antes de la sistematización cibernética, resultado de un conocimiento experto adquirido de manera empírica. Si bien el debate continúa sobre si hay máquinas que están pensando ya o no, lo cierto es que llevan a cabo tareas antes reservadas a la "inteligencia".

El que haya ciertos tipos de cómputos que ninguna máquina de Turing puede efectuar parecería un defecto de la lógica en su relación con el mundo. Pero tanto él como Gödel desplazaron la discusión. No importaba si las máquinas eran inteligentes o no; el que hubiera cómputos irrealizables por una máquina de Turing no era razón suficiente para dudar de la posibilidad de producir máquinas que piensen. Tal cuestión sólo podría aclararse por la vía experimental. Para ello Turing propuso una "prueba": Si a una persona, comunicada únicamente con otras dos partes mediante una terminal computarizada, no le resultaba posible discriminar a través de preguntas cuál de ambas partes es una persona y cuál una computadora, entonces no se podría negar que la máquina tendría una cualidad que, en las personas, se llama "inteligencia".

El filósofo John Searle opone a la prueba de Turing un "cuarto chino", donde un homúnculo (o una computadora) podría traducir y conversar con alguien que sólo hablara chino (o espanglés), sin que esta persona se diera cuenta de si el otro entiende o no lo que está diciendo. Según Searle, la computadora simplemente manipula símbolos formales, sin significado para ella, y no debe insistirse en atribuirle pensamiento. Sin embargo, para la IA este problema está superado, ya que no se dota a la computadora de reglas sino de una red de elementos independientes que involucran, desde luego, símbolos y, por tanto, memoria, pero también percepción y aprendizaje con base en la experiencia.

La búsqueda de "algoritmos sensatos" condujo a buscar la solución óptima cuando los datos de entrada han aumentado en forma tal que el tiempo requerido para calcularlos se vuelve absurdo y riesgoso.

Sarcófago de jade de la princesa de Ling-Tuong, recreado por Salvador Dalí con circuitos impresos (1974).

La cibernética y la vida

La ciencia cibernética surge como tal gracias a la síntesis que el matemático Norbert Wiener y el neurofisiólogo Arturo Rosenblueth produjeron en cuanto a lo que se sabía hasta entonces sobre la naturaleza, y los procesos y funciones de la simbiosis animal-humano-máquina.

La teoría matemática de la retroalimentación puede desarrollarse y comprobarse más fácilmente en máquinas que en organismos vivos. No obstante ello, si las analogías cibernéticas son fundadas, las ecuaciones de la máquina serán aplicables al cerebro.

Arturo Rosenblueth y Norbert Wiener en el Instituto de Cardiología, México, 1945.

Wiener no se limitó a su campo, de por sí amplio, sino que quiso dedicarse a explorar áreas fronterizas de las ciencias. Su encuentro con Rosenblueth fue fructífero, pues entre ambos sentaron las bases de la hiperciencia que hoy conocemos: la ingeniería y la biología, las matemáticas y el funcionamiento del sistema nervioso central, así como el nacimiento de la electrofisiología, son algunos de los temas y acontecimientos inmediatos vinculados con la fundación de la cibernética, entre 1948 y 1954.

Para uno y otro científicos, era fundamental el concepto de "retroalimentación", conocido mucho antes por los biólogos. Los animales de sangre caliente mantienen su cuerpo en límites determinados de temperatura, en virtud de mecanismos biológicos de regulación que se retroalimentan y que un sistema físico *homeostático** denominado termostato, imita. De esa manera, el intercambio de información entre el organismo y el medio es constante, pues el primero debe efectuar sus mediciones y compararlas con el ambiente.

La síntesis de Wiener y Rosenblueth consiguió traducir los mecanismos de retroalimentación y convertirlos en instrumentos para el procesamiento de la información, pues reciben datos y toman decisiones basadas en ellos. Esto permite suponer que todo comportamiento inteligente es una consecuencia de ciertos mecanismos de retroalimentación y que, así, la inteligencia no es sino el resultado de adquirir informa-

ción y procesarla adecuadamente para un fin. Tales ideas transformaron la visión que se tenía de la inteligencia e influyeron definitivamente en la creación de una nueva disciplina: la inteligencia artificial o IA.

Desde 1930, y en particular durante sus años fundacionales, la cibernética adquirió nuevas herramientas. Por ejemplo, el trabajo de Claude Shannon en el MIT impulsó la electrofisiología; la arquitectura de von Neumann consolidó la producción de las máquinas computadoras; la robótica cobró nuevo auge y nuevos conceptos se generaron alrededor de ella: redes neuronales, sistemas expertos, dinámica de la información. En 1955, Rosenblueth escribía: "Una ciencia que incluye problemas tan heteróclitos como la retroalimentación, las relaciones entre un organismo o una máquina y las variables pertinentes del ambiente en el cual actúa, las relaciones entre una metodología analítica (problemas de caja abierta) y una metodología puramente comportamentalista (problemas de caja cerrada), la teoría de la información y de la predicción teleológica, puede ser juzgada como incoherente y artificiosa". En realidad, esa disciplina produjo campos inéditos de la ciencia y la tecnología, y nuevos paradigmas del conocimiento.

"La relación entre el cerebro y las máquinas es muy semejante a la que existe entre las fibras nerviosas y los modelos eléctricos de ellas que usamos los fisiólogos", aseguraba el mismo Rosenblueth. "No es que pensemos que los nervios tengan pilas voltaicas, ni condensadores de placas ni tampoco resistencias metálicas. Decimos que la impedancia de la fibra es semejante a la del modelo. Esto quiere decir que las ecuaciones matemáticas aplicables al modelo son también aplicables al nervio. Y esto nos permite medidas precisas y predicciones importantes. Si decimos que una máquina tiene comportamiento semejante al del cerebro, esto nos permitirá estudiar fenómenos complicados en sistemas relativamente sencillos."

"No fue fácil lograr una definición sencilla de la cibernética", decía Arturo Rosenblueth en 1955. "Y es que su estudio implica el análisis e integración de numerosos conceptos que provienen de diversas disciplinas científicas: la neurología, las matemáticas, la tecnología."

La simbiosis cibernética

Las clasificaciones de Linneo y Darwin dieron un carácter universal a la simbiosis animal-humano-máquina.

Darwin nos hizo comprender que formamos parte de un tejido complejo entre la vida, los objetos y la evolución de las cosas.

No siempre se identifica la obra de Charles Darwin con la ciencia cibernética y, sin embargo, fue él quien demostró que los mecanismos de la evolución, leyes de la naturaleza animal, han convertido al hombre en un animal cultural, producto innato de herramientas y máquinas. En uno de sus estudios clásicos, el ardiente partidario del darwinismo, Carlos Marx, se sorprende por la variedad de martillos que habían creado los artesanos ingleses.

Uno de los paradigmas contemporáneos que guiará la hipercibernética en los próximos decenios lo constituyen la idea de la coevolución con las máquinas y la evolución *sola* de las máquinas. Para esclarecer este contexto evolutivo y sistémico se dieron pasos significativos cuando Carlos Linneo estableció su clasificación basada en los sexos y Darwin descubrió ciertos mecanismos en la naturaleza y el desarrollo de las especies. Las repercusiones del esfuerzo sistematizador de Linneo han llegado, por ejemplo, a las investigaciones en robótica, donde es posible ver un sistema como el del gran naturalista sueco cual una guía de exploración. Sin embargo, en su época, las operaciones de Linneo no podían concebirse de esa manera, y el terrible y cáustico intelectual francés Julien Offroy de La Mettrie se burlaba de la enfermedad bucólica y la "obsesión" de Linneo por las cuestiones sexuales, pues pensaba que el sistema de este último era demasiado estático y virginal, mientras que la realidad era mecánica, dinámica y cambiante.

Por su parte, las ideas de Darwin influyeron necesariamente en las teorías sobre el origen y futuro del Universo, y se han aplicado con relativo éxito al futu-

37 + 9E

ro de las máquinas como nuevas especies vivas, pues en lugar de ser creaturas de Dios, los humanos nos convertimos en seres sujetos a la evolución, es decir al azar. Sigmund Freud se fascinó con estas y otras ideas a partir de la *segunda ley de la termodinámica**, y en ellas basó sus primeras teorías sobre la mente humana. Pero ¿qué sabemos sobre el depositario de los procesos mentales, el cerebro y su sistema nervioso? Primero, que las señales viajan por cada neurona mediante un proceso químico complejo y que se comunican con otras por la emisión y recepción de moléculas especializadas, que *no* son corrientes eléctricas ordinarias. Segundo, que las neuronas en el cerebro están muy interconectadas. Se agrupan en conglomerados esféricos, llamados núcleos, y en "láminas", llamadas córtices o, en general, corteza. Cada uno de estos conglomerados y córtices llevan a cabo tareas muy especializadas. El ensamble se parece más a un pequeño poblado que a una máquina bien organizada. Así, lo que somos y sentimos depende de la forma en que las moléculas se combinan en el cerebro. Lo que se sabe ahora, gracias a los estudios farmacológicos y las nuevas herramientas de introspección y análisis, está ocasionando una revolución en el tratamiento de las enfermedades mentales y las adicciones. Uno de los primeros e imperfectos frutos es el *Prozac*, así como novedosas ideas sobre el surgimiento de la conciencia y la fisiología del sueño. Se están completando los primeros mapas del funcionamiento de diversas áreas cerebrales (y, en pocos casos, incluso se está determinando el comportamiento de neuronas individuales), lo cual llevará con el tiempo a entender mejor la naturaleza y la forma como opera el sistema.

Todos los organismos vivos están genéticamente programados para aprender. En el transcurso de la evolución, el "programa" genético se abre hasta llegar al más abierto y menos condicionado de todos: el del ser humano para la cibernética: el del ser humano potenciado por las máquinas.

Sólo conjeturas, Vivian Torrence (1978).

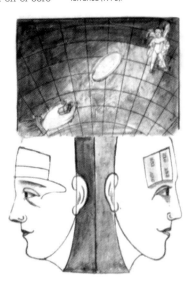

Del ajedrez al futbol

La teoría de juegos es una rama de las matemáticas, de fuerte contenido cibernético, mediante la cual se analizan situaciones de competencia y cuyos resultados dependen no sólo de lo que uno elige ni del azar, sino también de las elecciones de otros, llamados "jugadores", como sucede en la vida diaria.

La teoría de juegos cibernética describe mejor que las matemáticas desarrolladas por la física el comportamiento de fenómenos complejos, como la economía.

Puesto que el resultado de un juego depende de lo que todos los jugadores y el azar hacen, cada jugador trata de anticiparse a lo que los demás harán y, entonces, determinar su mejor jugada. El objeto de estudio de la teoría de juegos es descubrir cómo pueden llevarse a cabo estos cálculos interdependientes. En 1802, el genio de Lyon, André-Marie Ampère, publicó a los 27 años de edad su teoría matemática del juego, donde cita a Georges Louis Buffon como el creador de esta clase de hipótesis. En lugar de analizar los efectos de la estrategia, Ampère prefería estudiar el efecto de la probabilidad, soslayando deliberadamente la confabulación entre jugadores. Tal vez por la mala suerte que lo acompañó en su vida, vio que en los juegos de azar la ruina es segura, si se juega por un tiempo indefinido o contra múltiples oponentes. Si por un principio de simplificación consideramos que todos éstos son uno solo, entonces su fortuna es infinita. Ampère observó que un juego de "suma cero" (en donde la derrota de un jugador equivale al triunfo de los otros) siempre favorecerá al jugador más rico, quien tiene la ventaja de permanecer por más tiempo dentro de dicho juego.

Hacia 1928, von Neumann revisó la teoría de Ampère y consiguió aclarar la naturaleza de estrategias tan generales que fuera posible aplicarlas a cualquier juego, y tan eficaces que minimizaran la posible derrota cuando el oponente hiciera su máximo esfuerzo por

Robots autónomos juegan futbol en la Ciudad de las Ciencias de París (1998).

ganar. Puesto que muchos sucesos complejos de la vida diaria, como la política y la economía, pueden tratarse formalmente como juegos, von Neumann escribió un voluminoso libro para tratar de demostrar que situaciones imposibles en apariencia podían tener una solución, incluso considerando la confabulación de ciertos jugadores. También demostró cómo juegos de "suma diferente al cero" (aquellos en donde la derrota de un jugador no equivale necesariamente al triunfo de los otros) podían reducirse a juegos de suma cero si se incorpora un jugador imparcial y ficticio, el que a veces se llama "la Naturaleza".

Las ideas de von Neumann influyeron hondamente no sólo en los militares, sino también en los economistas, quienes en un principio se mostraron reservados, y cristalizaron en la computadora digital, que opera mediante la coalición de procesadores bajo un control paralelo y descentralizado. Fiel a la sentencia "razonar es calcular", von Neumann trató de encontrar los fundamentos de una teoría unificada de la información y su dinámica, que pudiera aplicarse para analizar y prever el comportamiento de las economías de mercado libre, los organismos y sus sistemas de reproducción, redes neuronales y, finalmente, la relación cerebro-mente.

Otra clase de juegos también han arrojado luz sobre las relaciones entre las especies vivas y las máquinas cibernéticas. La síntesis de von Neumann de la teoría matemática de los juegos tuvo el mismo efecto que el cambio de objeto de estudio en gran parte de la robótica actual. Hasta 1985, los esfuerzos por comprender el surgimiento de la inteligencia colectiva estaban encaminados al juego de ajedrez. Sin embargo, desde 1990 los investigadores abandonaron el ajedrez, un tanto pasivo, ya que un jugador debe esperar su turno para actuar, y voltearon sus ojos al futbol, en el que los jugadores deben actuar en forma simultánea y en tiempo real, lo cual está más cerca de la realidad.

La teoría de juegos de von Neumann fue una aportación valiosa para consolidar de una hiperciencia cibernética, pues combinó, de manera eficaz y original, las altas matemáticas desarrolladas hacia 1940 con la teoría de la información y su dinámica, y ha sido aplicada en campos tan diversos como la biología evolutiva, la defensa militar y la economía.

Nuevos paradigmas

La primera síntesis de Wiener y Rosenblueth planteó nuevas interrogantes y generó nuevos paradigmas que han desembocado en una hiperciencia cibernética.

Francis Crick, uno de los descubridores del ADN, piensa que es aún prematuro llamar "neuronas" a una colección de microprocesadores y muchos cables.

La aparición de la IA es uno de los aspectos más importantes de la cibernética. Marvin Minsky, John McCarthy y otros fueron los pioneros de este campo, que se formalizó en 1956. Minsky, físico de Harvard, al igual que Wiener y Rosenblueth, se interesó por áreas fronterizas de la ciencia y, después de estudiar óptica, se dedicó a la neurofisiología y la psicología. En ésta fue influido por el conductista B.F. Skinner (1904-1990), quien, a su vez, se hallaba imbuido del mecanicismo de la física de la primera mitad del siglo XX y destacaba el papel de los mecanismos por los cuales el ser humano reacciona a los estímulos y no a conceptos −como "mente"−, que incluso en el caso de algunos de dichos mecanismos no se correspondían con nada en la realidad. Minsky reflejó las ideas del "aprendizaje reforzado" en una máquina que era una red neuronal electrónico-mecánica.

Sin embargo, Minsky conoció a otro psicólogo, G. Miller, quien entonces buscaba modelos matemáticos del funcionamiento del cerebro y que, en 1956, publicó un conocido trabajo sobre la memoria de corto plazo, donde afirmaba que nuestra mente no puede conservar más que siete piezas de información al mismo tiempo. Así, Miller enfatizaba el papel activo de la mente como un procesador de información y con ello se oponía al modelo skinneriano de un mecanismo pasivo de asociación. Por ese conducto, Minsky se acercó con otro punto de vista al aprendizaje, hasta que se topó con los trabajos de dos investigadores, el neurofisiólogo Warren McCulloch y el matemático Walter Pitts. La conexión estaba hecha otra vez.

En 1943, McCulloch y Pitts ya habían intentado explicar el funcionamiento del cerebro humano como un mecanismo de células interconectadas en red, que pudiese realizar operaciones lógicas. Una pregunta fundamental era ésta: ¿qué puede ser un suceso psíquico mínimo? Ellos lo equipararon al impulso de salida de una neurona. Pensaban que era en ese nivel neuronal donde las personas decidimos algo, puesto que es en estas células donde se toma la decisión de emitir o no un impulso. Éste es, precisamente, el concepto cibernético de "círculos" de retroalimentación. Concibieron el estado de una "neurona artificial" como sinónimo de una afirmación relativa al estímulo adecuado. De esa manera, los cómputos podía efectuarlos una red de neuronas interconectadas.

La primera síntesis de Wiener y Rosenblueth produjo una diáspora que ha desembocado en la inteligencia artificial, las redes neuronales, sistemas expertos y sistemas dinámicos, robótica, la teoría del conocimiento y una "filosofía de la mente".

Si bien hoy se sabe que las decisiones conscientes sobre la verdad de las afirmaciones se producen en un orden de magnitud más complejo que el de una neurona (pues implica la participación de millones de ellas, sin olvidar el trabajo bioquímico de los *neurotransmisores**), las aportaciones de McCulloch y Pitts fueron un punto de partida de la IA para comprender cómo puede computar el cerebro.

En el verano de 1956 se llevó a cabo un seminario sobre "máquinas pensantes" de dos meses en Darmouth College, en New Hampshire, Estados Unidos, donde se reunieron especialistas de las más variadas disciplinas: matemáticos, ingenieros, administradores industriales. Minsky, McCarthy y Shannon estaban ahí. Se habían dado cuenta de que los estudios de Turing y von Neumann, valiosos como eran, sólo les permitían estudiar la inteligencia en abstracto. Las máquinas electrónicas digitales de computar serían un buen instrumento para construir inteligencias artificiales más cercanas a la realidad.

"La calculadora", de Walter Murch (1949).

Hacia una teoría del conocimiento

Para comprender la magnitud de las aplicaciones hipercibernéticas, es ilustrativo tener una idea del pensamiento cognotivista contemporáneo del que están impregnadas.

Como parte de la diáspora cibernética, una visión holística está transformando el núcleo fuerte de las ciencias tradicionalmente reduccionistas a ultranza.

Galatea de las esferas, de Salvador Dalí (1952).

Según el destacado teórico chileno Francisco J. Varela, investigador del célebre hospital neurológico La Salpetrière, de París, "por lo general, experimentamos el tiempo presente como un flujo continuo, pero mediante un análisis más detallado y sostenido y, sobre todo, sometiéndose uno mismo a un entrenamiento disciplinado en el cultivo de la atención sobre la estructura fina del pensamiento, se reconoce en el tiempo la paradoja de continuidad/discontinuidad. El tiempo no es un flujo sino una burbuja, y esa experiencia puede ser atestiguada tanto por la experiencia fenomenológica como por la tradición budista. Cuando uno anda lo suficiente un camino con disciplina y atención es capaz de observar una estructura que de otra forma no aparece, es decir una discontinuidad sobre la continuidad. La *durée* no es solamente continuidad ni tampoco un fragmento y enseguida interrupción y luego otro fragmento.

"Si yo no encuentro el sentido de esta metáfora, difícilmente veré el significado de, por ejemplo, la dinámica temprana de la organización funcional del cerebro, que es globular. Uno detecta modelos y patrones de constitución temporal en la dinámica cerebral que son justamente del tipo continuidad/discontinuidad. Debo decir que uno no puede hablar de la conciencia como una especie de substancia que subyace en nada; es un fenómeno típicamente emergente, tiene una existencia y una substancia de permanencia, es un proceso continuo de reconstitución. Existencialmente esto es muy interesante, pues tiene que ver con los momentos en que uno se 'desfasa' y, por lo tanto, hay un lugar para una reconstitución distinta, de donde nacen la inspiración, la productividad, la intuición. No es posible olvidar toda esa fenomenología de la vida humana que tiene que ver con lo azaroso, con lo impredictible. Si fuéramos puros sistemas cognitivos, sin esa especie de evanescencia en la constitución de lo que vamos conociendo, seríamos máquinas compulsivas, adictas al trabajo de conocer y empeñadas sin propósito en mantener un estado de adaptación al mundo."

¿Y la evolución de la conciencia con respecto al lenguaje? "Yo también creo que la conciencia surgió sobre todo por una oportunidad de estructurar el lenguaje", asegura Varela. "Todos los primates y, en general, los mamíferos tienen una tremenda capacidad de tener experiencias. Todos tienen un *locus* de experiencia y son, por tanto, seres conscientes, porque tienen la misma capacidad de integración unitaria. En el hombre se presentó, además, un momento en que surgió esta oportunidad de desarrollar el lenguaje y, por tanto, a esta unidad de conciencia primaria o básica que compartimos con toda la gente se agrega esta unidad narrativa, la del lenguaje. Eso en sí mismo no es lo que distingue la conciencia. Hasta ahora no he dicho que la conciencia sea la única del hombre. La conciencia del hombre es especial porque tiene la dimensión social-narrativa, que le da una gran coherencia.

"Pero esto no quiere decir que antes del hombre no hubo conciencia. Para decirlo con el famoso texto de Thomas Nagel, que se llama '¿Qué significa ser un murciélago?', yo estoy convencido de que *algo* significa ser un delfín o un ave, porque el fenómeno de la unidad, de la creación de este espacio común transitorio y evanescente existe, incluso entre los insectos, aunque allí es mucho más difícil saberlo. En el caso de los mamíferos es obvio porque tienen la misma estructura que nosotros. Para mí, la evolución es un juego de oportunidades tomadas."

El proceso de obtener más y mejores manifestaciones de inteligencia en las máquinas parece ser un proceso evolutivo y adaptativo. Y tales procesos, si no son detenidos bruscamente, suelen presentar salidas creativas e inesperadas.

Redes neuronales

La idea de las redes neuronales adquirió importancia cuando se planteó que no sólo pudieran computar sino también aprender.

Las redes neuronales se emplean para el reconocimiento de aparatos en el tránsito aéreo, la identificación de voces y huellas digitales, y el diagnóstico médico.

En 1949, el fisiólogo Donald Hebb planteó que las conexiones cerebrales cambian al aprender tareas diferentes y que el papel central en ello corresponde a las sinapsis. Esto significa que la conectividad del cerebro varía a medida que la persona aprende tareas diferentes, debido a la formación de agrupaciones funcionales de las neuronas. Hebb se había inspirado en el creador de la neurofisiología moderna, Santiago Ramón y Cajal (1852-1934), quien descubrió que la repetida activación de una neurona por otra, a través del mecanismo llamado sinapsis, incrementa la conductividad eléctrica de la primera, con lo cual, al activarse en forma sincrónica, neuronas débilmente conectadas tienden a organizarse en agrupaciones cuya conectividad es más fuerte. Estas ideas sentaron las bases del aprendizaje en redes neuronales artificiales y adaptativas.

El cerebro puede ser visto como una masa formada por una gran cantidad de células; puesto que su comportamiento es semejante y, al transcurrir el tiempo, afectan el estado de las otras, esto tiende a formar bloques neuronales en el cerebro que, también con el tiempo, cambian de comportamiento. Esto es lo que en física se llama un "estado dinámico", un sistema físico que evoluciona con el tiempo a través de cambios que resultan de la interacción de sus partes o de su relación con el medio. Una máquina es un ejemplo de sistema dinámico, como lo es una computadora, un ave o un ser humano. En una computadora, por ejemplo, a partir de ciertas posiciones iniciales, las partes evolucionan hacia otras posiciones y, cuando se detienen, se leen en un dispositivo de salida los resultados de las operaciones efectuadas.

Si pensamos en estas máquinas cibernéticas como sistemas dinámicos no reductibles, por ejemplo, a sistemas de ecuaciones de algún tipo, aparece una situación inédita, paradigmática: antes los científicos observaban la evolución de un sistema y, de ahí, procuraban inferir la interacción entre sus partes. Con el surgimiento de la cibernética como hiperciencia, las cosas cambiaron. Ahora había que programar realmente al sistema (la máquina) para que hiciera lo que debiese. Una máquina que pudiera usar neuronas artificiales como procesadores elementales de información reproduciría, aunque en escala menor, algunas de las funciones cognitivas humanas y sería tan "flexible" como para poseer cierta capacidad de aprendizaje.

Además de las redes neuronales, hay otros sistemas cibernéticos llamados "autómatas celulares". También se "atomizan" o disgregan en una gran cantidad de unidades simples, cada una con una pequeña capacidad de procesamiento y pocos estados, los cuales pueden cambiar sólo en instantes discretos y no todas al mismo tiempo, de manera que el paso a un nuevo estado se encuentra determinado por una regla que depende de los estados previos de cada unidad simple (o célula) y los de las unidades vecinas. A pesar de sus limitaciones en cuanto a configuración, los autómatas celulares se han utilizado, con algunos resultados, para obtener modelos de la actividad genética.

Para los creadores de las redes neuronales, el cerebro es un sistema de procesamiento distribuido y paralelo, ya que neuronas en lugares distintos (distribución) procesan datos en forma simultánea e independiente (paralelismo).

Pruebas de visión en una mosca para comprender mejor la naturaleza de las funciones neuronales.

Sistemas expertos

Desde espectaculares instrumentos de ayuda al pensamiento, como la neurociencia computacional, hasta la medicina y la industria automotriz de nuestros días, todas son aplicaciones de los sistemas expertos.

La materia prima de los sistemas expertos es el conjunto de los razonamientos que, por naturaleza, están sujetos a revisión.

En 1969, el genetista Joshua Lederberg y los expertos en IA E. Feigenbaum y B. Buchanan se asociaron para resolver en forma automática, por computadora, el problema de inferir la estructura molecular de un compuesto químico, a partir de la información facilitada por un espectrofotómetro de masas, problema que hasta entonces requería del trabajo de químicos analíticos expertos. El problema lo resolvieron mediante un programa llamado DENDRAL, inspirado en la simplificación de soluciones posibles realizada por los expertos —en este caso lo que los químicos analíticos sabían de los patrones picos en el espectro. Así surgió el campo de los sistemas expertos, sistemas intensivos en conocimiento cuyo funcionamiento obedece a un gran número de reglas que simplifican en algoritmos la experiencia derivada de conocer con la intuición, agudeza y precisión.

Más tarde, los científicos referidos desarrollaron un programa para encontrar infecciones de la sangre, más complejo que el anterior, ya que en él no había un modelo teórico general del cual deducir las reglas, sino que debían formularse por medio de un diálogo con los expertos reales, quienes, a su vez, las habían adquirido de sus experiencias con casos particulares.

El poder de predicción de los sistemas expertos quedó demostrado cuando, en 1980, PROSPECTOR aconsejó horadaciones exploratorias en un sitio descartado por varios geólogos, ya que estaba rodeado de antiguas perforaciones y minas. El programa contenía, en forma de reglas, el conocimiento de nueve expertos, y dio con éxito con un depósito importante de mo-

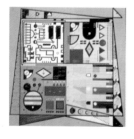

Representación artística de los sistemas expertos (Mark Wilson, 1978).

libdeno, elemento básico para fabricar anticorrosivos. La importancia de concretar el conocimiento y, en cierta forma, la intuición se hicieron evidentes al surgir un novedoso método para efectuar deducciones lógicas, llamado de resolución. Este método fue eficaz en la prueba automática de teoremas y se basa en escribir todas las afirmaciones que definen un problema y las conclusiones intermedias que se deriven, en una fórmula especial llamada "cláusula".

Así, para probar el resultado de una lista de cláusulas, se supone la negación de lo que se desea demostrar y se intenta obtener una contradicción, al añadir a esa negación alguna cláusula de la lista que permita "resolverla" por cancelación de las contradicciones. La deducción se convierte en algo puramente mecánico. Sin embargo, debido a la explosión combinatoria, como sucede en la realidad, en cada paso sólo podían resolverse pocas cláusulas de listas larguísimas de afirmaciones iniciales, por lo que el problema resultaba intratable. Entonces, en 1971, el investigador Robert Kowalski probó que algunas reglas bastante sencillas permiten eliminar la mayoría de las "resoluciones" que no interesan para la prueba en curso, con lo que se reduce en forma notable el número de casos que es preciso examinar. Al mismo tiempo, el francés Alain Colmerauer describió una forma automática, mediante la cual no sólo era posible representar las afirmaciones a través de estructuras arborescentes sino manipularlas por medio de reglas simples, tanto para el análisis como para la generación de nuevas afirmaciones.

Después, junto con Phillipe Roussel, Kowalski y Colmerauer escribieron PROLOG, un lenguaje de programación basado en técnicas de resolución a manera de estructuras arborescentes. Éste fue el primer programa, hipercibernético, aunque no se impuso de inmediato, pues en ese entonces se prefería usar LISP y FORTRAN.

Como una rama de la cibernética, los sistemas expertos se apoyan en este dictum: razonar es calcular. Los sistemas expertos, al igual que las redes neuronales y, en particular, la robótica estimularon el enfoque sistémico, contrario al enciclopedismo.

La robótica: sistemas inteligentes

Un robot es un manipulador multifuncional, reprogramable, destinado a realizar tareas.

Puesto que todavía no es posible ensamblar piezas donde los movimientos puedan limitarse a fracciones de un micrón, los robots aún parecen lerdos.

Las limitaciones mecánicas y la estructura antropomórfica han sido dos aspectos cruciales en la construcción de robots. Sin embargo, los progresos notables en microinformática y microelectrónica permitieron el desarrollo de varias funciones autónomas. Hoy en día, la robótica es un campo diverso y en rápida expansión. Muchos de los investigadores consideran que, una vez pasada la primera ola de la síntesis cibernética, la robótica enfrenta varios desafíos de magnitud. El primero de ellos, de orden conceptual, exige sistematizar los elementos teóricos directamente relacionados, hasta constituirse en una disciplina independiente.

Por otra parte, y en términos históricos, cualquier empresa robótica no debe perder de vista dos propósitos inherentes: cierta capacidad de decisión autónoma y operativa, así como una interacción humano-máquina simple, ergonómica y lo más cordial posible. El efecto social y económico es otro reto importante para la robótica. Los nuevos robots cuasiinteligentes no sólo han transformado las condiciones de trabajo en los centros de producción y en las oficinas. Prácticamente toda actividad humana se abre a la robótica, desde la asistencia médico-quirúrgica hasta la exploración de otros planetas.

Los robots desarrollados en 1984 por R. Brooks son entidades determinadas por conductas elementales y mecanismos de activación e inhibición a partir de los cuales construyen sus propios conceptos. Basados en los pequeños autómatas móviles dotados de una célula fotoeléctrica del neurofisiólogo G. Walter, estos "bichos", conocidos como tortugas cibernéticas, imitaban las funciones vitales de algunos animales inferiores y comportamientos correspondientes (como la atracción por una determinada fuente luminosa y la detección de obstáculos). En la actualidad, se han fabricado ya insectos de materiales ligeros y silicio.

Robots de una tercera generación deberían tener la capacidad de razonar sobre la tarea que les corresponde ejecutar y de actuar a partir de inferencias inteligentes entre percepción y acción. Resolverán problemas conceptuales y operativos, al menos en cuanto a dos aspectos: reactividad-comportamiento y representación-razonamiento. Los primeros robots de los años de 1960 alcanzaron cierto éxito al tratar de reproducir con microprocesadores el comportamiento neuronal. Pero operaban en ambientes sumamente estructurados y, por tanto, ficticios. Al tener que decidir por un enfoque conductista o bien uno de carácter deliberativo, se optó por el segundo y se concluyó que se resolverían lo mejor posible los problemas del entorno físico, con un comportamiento flexible, y se abandonaría la idea de que el cerebro consta de una doble jerarquía de estructuras neuronales. La diferencia entre un enfoque conductista y uno deliberativo es que en el segundo los robots poseen representaciones simbólicas internas y modelos de su mundo de trabajo, así como de procesos de razonamiento que operan sobre tales representaciones. Si resultan inteligentes, será por su experiencia perceptual del mundo y no por haber sido equipados y "guiados" como los anteriores. Tendrán, desde luego, programación, tal como los seres vivos estamos programados genéticamente.

Las nuevas tendencias de la robótica y la inteligencia artificial miran el conocimiento humano como si estuviese generado por actividades mentales múltiples y paralelas, de manera que a menudo conducen a soluciones a través de ideas inesperadas y no mediante la comparación de alternativas.

Tati, el *french poodle* de Daniel C. Dennett, filósofo de la mente.

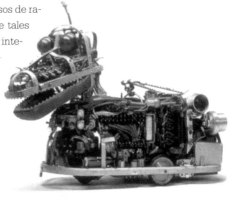

IA = ¡Eureka! Tradicionalmente, la IA ha intentado copiar los procesos mentales conscientes de los seres humanos cuando llevan a cabo determinadas tareas. Pero hay aspectos importantes del pensamiento que son inconscientes e inaccesibles para la introspección mental, de manera que no pueden considerarse como mecanismos.

La nueva IA pretende construir sistemas nerviosos artificiales a partir de arquitecturas distribuidas.

Después de la primera síntesis cibernética, la inteligencia artificial tradicional abrió un amplio panorama a la simulación de fenómenos de laboratorio análogos, si bien remotamente, a la apariencia de tener vida. Turing intentó obtener modelos de desarrollo embrionario por medio de la difusión y reacción de sustancias químicas, con el propósito de demostrar la existencia de patrones estacionarios, los cuales se forman de manera espontánea a partir de inestabilidades de un estado homogéneo. En fecha reciente se han acumulado evidencias experimentales de que, en el desarrollo de formas biológicas, no sólo están involucrados procesos moleculares, sino también procesos dinámicos.

La nueva IA, al disponer de sistemas informáticos inéditos y formas poderosas de representar las teorías que explican su comportamiento, difícilmente descriptibles en los términos que antes se pensaba, por ejemplo en los sistemas complejos, lleva a puntos de vista distintos de los de la fisicamatemática. Desde PROLOG hasta el lenguaje Unix y sus variantes, pasando por el MS-DOS y MacOs, demuestran que, en efecto, el significado de los términos depende de su uso en el lenguaje. La nueva IA ha modificado el contexto de los paradigmas y

Robot dotado de visión similar a la de una mosca, construido por el equipo de neurocibernética del Centre National de la Recherche Scientifique (CNRS) de Marsella, en 1994.

ha obligado a los filósofos de la vida a replantear lo que significa inteligencia, aprendizaje, conocimiento, información y retroalimentación.

Tanto las redes neuronales como los algoritmos genéticos llevan a sistemas que pueden desarrollar estrategias, desconocidas hasta ahora. Cabe esperar que los productos de la IA y los robots del futuro aprendan a actuar entre el orden total y el desorden total, flexibilidad que hoy es imposible de alcanzar, pues se requiere una enorme cantidad de información específica y tiempo. La biología es mucho más compleja que la física fundamental, ya que muchas regularidades biológicas han surgido tanto de leyes físico-químicas como de sucesos aleatorios. Un sistema adaptativo complejo, como lo son los animales y el ser humano, sigue estando en un proceso de evolución conjunta. Además, nadie puede garantizar que vaya a alcanzarse ningún tipo de equilibrio; de hecho, para la biología, los seres vistos como sistemas termodinámicos nunca están en equilibrio, pues siempre transitan por un camino de estructuras dinámicas que se colapsan y dan origen a nuevas organizaciones.

La mayor parte de los problemas abordados por la nueva IA parecen intratables y de una complejidad exponencial, de manera que uno de sus paradigmas se enmarca en criterios de economía cognitiva. Es decir, en saber organizar rápidamente actividades adecuadas para abordar la complejidad propia de cada problema. Así, los investigadores que tratan de construir instrumentos que evolucionen hacia algún tipo de *wetware*, esto es, alguna clase de material húmedo, y crean imágenes computacionales a través de electrodos conectados al cerebro, los brazos y los músculos faciales, deben plantear una estrategia radicalmente distinta de la de quienes construyen robots jugadores. El fin es el mismo: intentar que las máquinas y los seres humanos interactúen usando el pensamiento, pero los caminos son diferentes.

Nuevos modelos matemáticos empiezan a establecer mejores perspectivas para la IA en los próximos decenios. Tal es el caso de la revisión de las lógicas del razonamiento revisable que hiciera el genial matemático estadunidense de origen húngaro George Pólya (1887-1985).

Alicia en el país de Oz

Una leyenda apócrifa que se inicia en el país de los autómatas, pasa por el Valle del Silicio y se extiende en el espacio virtual puede introducirnos en la cultura cibernética de los últimos años.

Como dice Mark Twain en *Las aventuras de Huckleberry Finn,* las personas que traten de encontrar un motivo en esta narración serán enjuiciadas y las que intenten encontrarle moraleja serán proscritas.

Alicia salió una mañana a la ría. Cuando estaba por alcanzar la otra orilla del manglar, el bote se hundió. Se acercó nadando a un oasis y en él sólo encontró una gallina y agua dulce. Como no se le ocurría otra cosa que hacer, Alicia le puso un nombre al animal: Bilina. De pronto, Bilina comenzó a hablar. "Hasta ahora", dijo la muchacha, "yo pensaba que las gallinas sólo sabían cacarear". "Yo también", respondió Bilina, "que yo recuerde, es la primera vez que hablo. He cacareado toda mi vida y apenas me doy cuenta de que estoy hablando. Tal vez es el Sol, pero hace un minuto, cuando me llamaste, me pareció lo más natural del mundo responderte".

Otro día, Alicia veía cómo Bilina encontraba gusanos, atrapaba chinches y devoraba hormigas, ante sus ojos horrorizados. "Pero, ¿por qué pones esa cara?", dijo Bilina, "ustedes los humanos se los comen muertos; ¡al menos así están más frescos!" Entonces Alicia se dio cuenta de que estaba soñando o algo parecido. Pocos días después, se detuvo en el oasis el bote de un pescador, quien llevó a Alicia y su gallina Bilina a puerto seguro. Alicia no reconoció el lugar, con sus calles que desembocaban en la esquina de una mesa de escritorio, fuentes de agua y Moëbius, escaleras que bajaban y llevaban arriba, pasajes del metro por los que uno viajaba, al mismo tiempo, en tres direcciones distintas. Si quería más, tenía que pagar más. Pronto descubrió que estaba en la tierra de Oz. Aprendió a reconocer las nuevas lenguas de los yahoos, a reparar al hombre de hojalata, su fiel servidor, y a tratar con el fantoche de Oz.

"¿Cómo puedes llamar fantoche a alguien que ha construido todo esto?", dijo la gallina, "cada cosa tiene su lugar, todo funciona con precisión cronométrica. ¡Hasta los hombres de hojalata tienen aceite asegurado para su vejez!

"Ha descubierto todos los mecanismos, desde los más sencillos hasta los más complejos. Casi cualquiera de sus androides puede pasar la prueba de Turing y salvar el pellejo bajo el martillo del gigante, pero temo que no lo sabe todo. Lo conocí cuando trabajaba para un gran emperador. Podía convertir agua en vino, ranas en administradores, abejas en jueces y ratas en ministros. Movía un brazo y aparecían gardenias entre sus manos. Un pájaro parlante siempre lo acompañaba, posado en su hombro. '¡Haz más!', le pedía su patrón, y entonces Oz pensaba en una estrella negra, y ahí estaba, en el firmamento. '¡Haz más!' Oz pensaba en agua seca, y ahí estaba. Un dique en el Chiang Jiang, y ahí estaba. Un día, una estudiante de los números se acercó al emperador, que ya no sabía qué más pedir, y le dijo que le pidiera pensar en el seno de alfa mayor que uno. Oz palideció y, con profunda tristeza, dijo: 'Lo siento, no puedo hacer nada esta vez. El seno está entre más uno y menos uno'. Se perdió entre la multitud, a vivir dentro de una cáscara de nuez. Es triste, ¿no crees?"

Ozma de Oz se publicó en 1907. En esta obra, Frank Baum explora, a través del ojo candoroso de una provinciana del medio oeste estadunidense, las diferencias y semejanzas entre los humanos, los animales y las máquinas. Casi cuatro décadas más tarde, en 1946, se construyó la primera máquina calculadora totalmente electrónica: ENIAC. El mago de Oz había encontrado el mecanismo de la computación, para aliviar sus penas.

El hombre-máquina,
de John R. Neill (1907).

Literatura cibernética

Así como no toda la literatura contemporánea es necesariamente cibernética, tampoco toda la ciencia ficción es ficción científica.

El libro de Stanislaw Lem, *Micromundos*, es una guía esencial para entender la diferencia básica entre ficción científica y ciencia ficción, y, en general, la literatura cibernética.

¿Qué puede considerarse literatura cibernética, sin caer en excesivas generalizaciones? Puesto que uno de sus paradigmas fundamentales como hiperciencia *compleja** es el problema cerebro-mente, cabría referirse a las novelas y relatos maestros que abordan el tema de una o de otra manera, o incluso lo prefiguran, sin detenerse en la etiqueta "ciencia ficción". En realidad, este subgénero de la literatura es tan joven y surge en una época de tan amplio acceso a medios impresos, que suele confundir la fantasía con la probabilidad científica. Los ejemplos clásicos son la pieza dramática *R.U.R.*, del escritor checo Karel Čapek, y los relatos de *Yo, Robot*, de Isaac Asimov. Mientras que en el primero, debido a las falsas expectativas sobre la ciencia y tecnología del autor, el relato se desvanece en una mera alucinación del mismo, la mejor prosa y las ideas inteligentes y *probables* de Asimov, acercan más sus relatos y algunas de sus novelas a lo que podría llamarse, propiamente, una literatura cibernética o de ficción científica.

El problema cerebro-mente aparece en James Joyce y se corresponde con el universo mental de Alfred Döblin. La simetría y paralelismos entre Earwicker (*Finnegans Wake*) y Franz B. (*Alexander Platz*) son muy similares a los que establecen dos herederos de Gogol: Osip Mandelstam y Mijail Bulgákov. En su sátira *Corazón de perro* (1925) y en la novela teatral *Nieve negra* (*ca.* 1935), Bulgákov nos ofrece relatos más que ilustrativos del papel de la conciencia en la literatura. Todas las historias, tantas como quepan en mi cabeza. El problema radica en quién lleva la batuta. En sus *Conversaciones sobre Dante*, Osip Mandelstam nos muestra cómo la *Comedia* es el primer viaje mental de las voces orquestadas por Dante sobre el lomo de Gerión en las calles de Florencia. Otras novelas de fuerte contenido cibernético son *Locus Solus* de Raymond Rousell, *El comedor de sueños* de Lafcadio Hearn, *La hija de Rappaccini* de N. Hawthorne, *Mondo y otras historias* de J.M. Gustave Le Clezio, *El fantasma* de I.B. Singer y el de H.G. Wells, *La invención de Morel* de A. Bioy Casares, *El Aleph* de J.L. Borges, *Alicia a través del espejo* de L. Carroll, *El palacio de los sueños* de I. Kadaré y el *Diccionario de Khazar (ejemplar masculino o femenino)* de M. Pavic. No hay que olvidar la literatura del *Oulipo*, taller de literatura potencial, también de espíritu cibernético, animado por Italo Calvino, Georges Pérec, Raymond Queneau y Paul Fournel, entre otros, ni la vasta obra de escritores como Michel Rio.

El caso del *cyberpunk* es particular, pues, al igual que la hiperciencia que le da nombre, se trata de una escritura híbrida, como sucedió al nuevo periodismo de la década de 1960, mitad crónica, mitad ficción. Escrita en 1984 por William Gibson, *Neuromancer* es la novela que inaugura este género donde se combinan elementos heredados de la novela gótica, una parodia de la primera ciencia ficción y la cultura alternativa de los años de 1970, sobre todo en los países más desarrollados. Case, un vaquero perdido en innumerables adicciones, ve la oportunidad de redimir su miserable vida rompiendo códigos secretos de redes computacionales y robando datos. Eso es precisamente lo que hacían espías y contraespías en Berlín entre 1974 y 1984, al igual que jóvenes anarquistas y estudiantes de ingeniería en varias partes del mundo. El *cyberpunk* esperaba en la calle principal.

El error del dualismo cartesiano y del vitalismo de suponer que dentro de los cuerpos animados existe un homúnculo* *ordenador de sus movimientos ha sido explorado, con mayor o menor fortuna, por diversos autores.*

No correspondido, de
Peter McCaffrey, 1984.

Iconos en contra de la cibernética

El mito y la leyenda, respectivamente, de Prometeo y Joseph Golem —figuras oscuras y heroicas como Mefistófeles—, y la novela *Frankenstein*, de Mary W. Shelley, reflejan la angustia de crear y, así, invadir mundos supuestamente reservados a la divinidad, mundos prohibidos donde se desvanece la frontera con el mal.

La verdadera civilización no se basa en circunloquios paranoides, sino en preguntas directas planteadas a la Naturaleza.

La hostilidad contra la ciencia no es novedad y la cibernética no se ha salvado de ella. De hecho, ha atraído críticas en especial amargas porque toca fibras sensibles de la humanidad, como en su momento lo hicieron el sistema astronómico de Kepler y la evolución biológica de Darwin.

Prometeo roba el fuego a los dioses y lo da a los humanos, y por eso es castigado. El doctor Frankenstein da vida a un engendro y éste se rebela por una serie de malentendidos y realidades de la sociedad en que se desenvuelve la historia. El Golem, una masa informe de barro, toma forma al conjuro de una antigua cábala judía. El Golem debía servir a su dueño fielmente pero un día se rebela contra éste. Fuera de control, finalmente lo encuentra un rabino que pronuncia las palabras sagradas y escribe en la frente de la criatura *Emeth*, que significa "la verdad", en hebreo, luego borra la primera "e" y la palabra se transforma en *Meth*, que quiere decir "la muerte"; entonces la criatura se desintegra. Joseph Golem espía a sus vecinos. El *Big Brother* que imaginó George Orwell se ha convertido en infinidad de *small brothers*, al atomizarse el control de la información en redes como *Internet**.

La imaginación de Mary Shelley y su vago conocimiento que tenía de un campo de por sí incierto, como lo era en esa época (principios del siglo XIX) el electromagnetismo, le bastaron para crear su obra. Su esposo, el poeta Percy Bysshe Shelley, estaba fascinado con los recientes descubrimientos e hizo su propia relectura sincrética a la luz de la alquimia y la tradición hermética. Además el padre de Mary, el ilustre William Godwin, había publicado un libro sobre *La vida de los nigromantes*, un compendio de magia blanca y magia negra. Incapaz de preguntar directamente a la ciencia, evitando así circunloquios que muy a menudo conducen a estados paranoides, Mary Shelley se dejó arrastrar hacia un mundo gótico, donde el autómata nos hace sentir miedos y angustias ancladas en atavismos aún insuperados. Algo similar sucedió a muchos artistas y pensadores desde entonces. Edgar Allan Poe y William Blake, entre otros, siguieron expresando su recelo ante las máquinas. Andersen pasó una infancia muy triste, que sobrellevó construyendo ingeniosos teatros de títeres. Más tarde, escribió un cuento muy famoso en el siglo XIX, "El ruiseñor", donde se palpa el avance científico, la fascinación por los ingenios automatizados y la repulsa romántica al mundo newtoniano y mecanizado.

En general, la ciencia no trata de manipular la verdad para conquistar espacios políticos o económicos, sino de formular las mejores preguntas y encontrar las respuestas más sencillas para los complejos problemas de la realidad.

Los ciudadanos conocidos como *hackers* son una expresión ejemplar del sentimiento ambiguo y de la fachada gótica que acompaña a los iconos hostiles a la ciencia cibernética. Estos genios de los números computables, de la electrónica avanzada, incluso de las matemáticas y la astrofísica, sin olvidar a los Dodgers de Los Ángeles y los Doobie Brothers, fueron expertos en telefonía a los 10 años de edad. Como un Mozart cibernético, un *hacker* célebre llamado Kevin Mitnick, a los 3 años de edad podía reconocer los diferentes tonos de infinidad de números telefónicos. A los 25 era perseguido por la justicia por violar códigos industriales y militares. Con un pie en la ficción y otro en la realidad, la literatura cibernética es expresión de una cultura heterogénea, caprichosa y en pañales, a veces cobijada bajo una prosa eficaz, como la de J.G. Ballard en *The Crystal World*, y a veces poética, como la de Philip K. Dick en *Do Androids Dream of Electric Sheep?*

El mundo cibernético, jerarquizado y rígido que se retrata en la película de Fritz Lang *Metrópolis* se ha convertido más bien en una red horizontal, donde la multiplicidad de expresiones orales, escritas y visuales es inédita.

La estrategia de la araña y el *cibionte**

La idea de que la *ecosfera** funciona como un organismo vivo no es nueva. Gea y el cibionte son metáforas para explicar el sentido del fenómeno macroscópico que vivimos como especie simbiótica.

El análisis cartesiano, al fragmentar la complejidad en elementos más simples, dejó de ser suficiente para explicar la dinámica de los sistemas naturales y su evolución.

Mientras que para la cibernética clásica de los años cuarenta las decisiones las tomaba "el gran timonel", la hiperciencia cibernética de 1990 se ha emparentado más bien con un *surfeador*, alguien capaz de sortear los vaivenes de la opinión pública y quedar bien con los medios que importan. La visión mecanicista del mundo fue remplazada por una visión holística, a menudo iconoclasta, y por ello ha generado una diáspora de espectaculares disciplinas científicas y tecnológicas, así como una subcultura que invade todos los ámbitos de la sociedad contemporánea. Los filósofos *New Age* extrapolan por igual las ideas matemáticas de la lógica difusa y las bases neurológicas de los procesos mentales; hay cibernautas semianalfabetos o, peor aún, que sólo conocen una verbalización del mundo caótica, atávica y llena de confusiones en una especie de Babel electrónica.

El oleaje en el ciberespacio, como en la vida real, es constante y está generando una nueva cultura.

Según el imaginativo escritor científico Joël de Rosnay, el aparente caos está regulado por un supraorganismo en construcción, el cibionte, del cual todos somos células y que está conectado con la idea de la ecosfera, es decir Gea, la nave Tierra. Los sistemas de la vida son entes cibernéticos, pequeñas unidades de información esencial para todo el supraorganismo, que se desenvuelve como una araña hace crecer su red. ¿Nos

hemos preguntado alguna vez qué hace tan resistentes las telas de araña? Su horizontalidad, la flexibilidad del material que las constituye, la sensibilidad en la transmisión de la información y la confiabilidad del sistema en la autorregulación.

Para cualquier persona que eche un vistazo a la calle, es evidente el surgimiento de una inmensa red de relaciones complejas entre diversos grandes sistemas de la Tierra. El clima, el suelo, el agua y las poblaciones de las diversas especies han intensificado sus relaciones (y algunas las han modificado en forma dramática) debido a la intervención del ser humano como productor de máquinas. Esto no es necesariamente malo si puede regularse el crecimiento de los escenarios inéditos que irrumpirán en los próximos años. La hipercibernética tendrá que ofrecer mejores modelos y alternativas para salvaguardar la vida en la Tierra.

Las máquinas no han logrado pasar realmente la prueba de Turing, pero nadie duda de que lo harán en un futuro cercano. Las victorias de *Deep Blue*, la computadora de IBM que derrotó al maestro ruso Kasparov, indican que ya han alcanzado a comprender el "juego de imitación" y que pueden atisbar en el futuro (en el caso de *Deep Blue*, siete jugadas adelante de su oponente más avezado, Kasparov); ahora falta que convivan con los humanos y el resto de los seres vivos hasta que comprendan las facetas sutiles, imbricadas y a veces trágicas de la inteligencia.

Los robots del próximo siglo deberán cruzar antes la frontera que aún separa la microrrobótica de la nanorrobótica. Al igual que Babbage en su momento, hoy existe la imposibilidad de ensamblar piezas donde los movimientos puedan realizarse en una fracción de micrón. La manipulación es de un céntimo de micrón. Pero se necesitan robots que operen con una precisión diez mil veces mayor, lo cual genera problemas técnicos y científicos que llevará algún tiempo resolver.

La complejidad es un atributo de la naturaleza que comparten una tormenta, las galaxias, el cerebro humano y los sistemas termodinámicos. La hiperciencia cibernética los estudia como una araña construye su red.

Bibliografía

- Álvarez Leefmans, Javier, *Las enseñanzas de Santiago Ramón y Cajal*, México, Pangea / CNCA, 1994.
- Cereijido, Marcelino, *Orden, equilibrio y desequilibrio*, México, UAZ, 1995.
- De Rosnay, Joël, *L'Homme symbiotique*, París, Éditions du Seuil, 1995.
- Dyson, George, *Darwin among the Machines*, Londres, Penguin Press, 1997.
- Giralt, Georges, *La robotique*, París, Flammarion, 1997.
- Guédon, Jean-Claude, *La planète cyber. Internet et cyberespace*, París, Gallimard, 1996.
- Hafner, Katie y John Markoff, *Cyberpunk. Outlaws and Hackers on the Computer Frontier*, Nueva York, Touchstone, 1991.
- Lem, Stanislaw, *Microworlds*, Londres, Mandarin, 1991.
- Mazlish, Bruce, *The Fourth Discontinuity. The Co-Evolution of Humans and Machines*, New Haven, Yale University Press, 1993.
- Rudomín, Pablo, *Obra científica*, tomos I y V, México, El Colegio Nacional, 1995-1996.
- Trefil, James, *Are We Unique?*, Nueva York, John Wiley & Sons, 1997.
- Trillas, Enric, *La inteligencia artificial. Máquinas y personas*, Madrid, Debate, 1998.
- Wiener, N., *Cibernética*, Barcelona, Tusquets Editores, 1985.

Glosario

• *Algoritmo*. Serie de órdenes escritas en un lenguaje que una máquina computadora puede interpretar y ejecutar.

• *Cibionte*. Idea de un macroorganismo planetario en proceso de evolución. Este superorganismo híbrido, biológico, mecánico y electrónico es producto de la cibernética de la segunda mitad del siglo XX. Incluye a los hombres, las sociedades, las máquinas y los recursos naturales, y se relaciona con Gaïa (o Gea), la nave Tierra que se define como una ecosfera autorregulada.

• *Complejidad*. Asociada al caos (aumento de entropía o disipación de energía útil), la complejidad forma parte del comportamiento impredecible de ciertos sistemas. Es también la rama de las matemáticas que caracteriza la dificultad de los problemas en esa disciplina.

• *Ecosfera*. Conjunto de los ecosistemas naturales y construidos por los seres humanos.

• *Homeostasis*. Propiedad de estabilidad dinámica de los sistemas complejos, organismos vivos y ecosistemas. Un sistema homeostático resiste los cambios y las perturbaciones.

• *Homúnculo*. En la Edad Media, especie de duendecillo que los brujos simulaban fabricar. Algunas teorías contemporáneas del problema cerebro-mente hablan de un "duendecillo" que llevamos dentro y que negocia con la realidad las decisiones que habremos de tomar.

• *Internet*. Recurso de comunicación interpersonal por computadora. Primera autopista electrónica internacional que permite la existencia del ciberespacio.

• *Neurotransmisores*. Mensajeros químicos a través de los cuales dos neuronas se transmiten información.

• *Segunda ley de la termodinámica*. En un sistema aislado, cualquier cambio espontáneo va acompañado de un aumento de entropía. Hay una incesante transformación de energía útil en inútil. No obstante, diversos flujos y fuerzas mantienen un breve equilibrio para que se dé la vida.

• *Sistémico, enfoque*. Se apoya en el estudio de los sistemas complejos y su evolución en el tiempo.

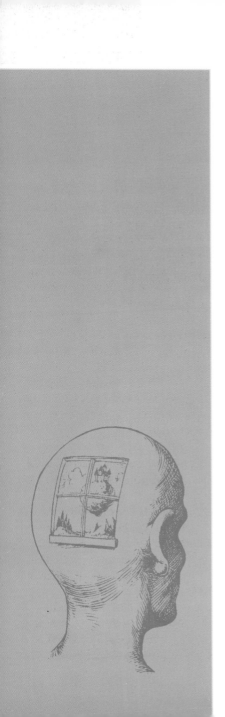

Créditos de las ilustraciones

p. 5: *The Economist*, agosto de 1995; pp. 6, 7, 25, 29, 57: Guédon, Jean Claude, *La Planète cyber*, Gallimard, 1997; p. 8: *Dix livres de chirurgie*, París, 1564; p.10: Simons, Joshua, "16 States", en *The Sciences*, 1987; pp. 13, 15, 17: Bailly, Christian y Sharon, *Automata*, París, 1993; p. 19: Mazlish, Bruce, *The Fourth Discontinuity*, New Haven, Yale University Press, 1993; pp. 20, 21: Soyer, Jean-Paul, *Ada de Lovelace et la Programation Informatique,* París, Éditions du Sorbier, 1998; p. 26: *The Economist*, julio de 1993; pp. 30, 58: *The Economist*; pp. 33, 42: Fundación Gala-Salvador Dalí; p. 34: Archivo personal del Dr. Juan García Ramos; p. 37: Hoffmann, Roald, *Chemistry Imagined*, Washington, Smithsonian Institution, 1995; p. 38: *La Recherche*, junio de 1998; pp. 41, 55: *The Sciences*, marzo-abril de 1988; pp. 45, 50: *Science et Avenir*, N. Franceschini, J.M. Pichon, C. Blanes, Marsella, CNRS, abril de 1994; p. 46: *The Sciences*, enero-febrero de 1987; p. 49: Portada de Smith, Brian, *Brainchildren*, Londres, Penguin Books, 1988; p. 53: Neill, John R., *Ozma of Oz*.

Imagen y diseño de portada: Lizbeth Carmona
Diseño de interiores: Cecilia Cota
Coordinación: Aurelia Álvarez
Corrección y edición: Carlos Valdés Ortiz
Tipografía: Limusa, S.A. de C.V.
Fotomecánica: Ediciones Corunda S.A. de C.V.
Impresión y encuadernación: Sevilla Editores, S.A. de C.V.
Cuidado de producción: Francisco Rosas García

Esta obra la terminó de imprimir
la Dirección General de Publicaciones
del Consejo Nacional para la Cultura y las Artes
en la ciudad de México,
durante el mes de septiembre de 2007
con un tiraje de 2 000 ejemplares.